JN200741

小児呼吸機能検査ハンドブック

2020年改訂版

監修　手塚純一郎／高瀬真人

作成　日本小児呼吸器学会

協和企画

序 —2020年改訂版発刊にあたり—

本ハンドブックでは最新の標準的な検査方法を提示しています。2020年改訂版では、American Thoracic Society（ATS）、European Respiratory Society（ERS）より新たに標準として示されたものに合わせて、気道可逆性検査と気道過敏性検査の中止薬剤を一部変更しています。

2019年12月

『小児呼吸機能検査ハンドブック』作成にあたって
～検査のコツを文章と動画でわかりやすく解説しました～

咳嗽、喘鳴、呼吸困難、低酸素血症、いびき、無呼吸など、さまざまな呼吸器症状を呈する患者さんの診療にあたっては、診断、治療手段の選択、および経過のフォローアップに呼吸機能検査は必要不可欠です。

しかし、成長、発達の途上にある小児では、解剖学的・生理学的な変化が大きいことに加えて、患者さんの検査への協力が得られにくいことや、検査手技を簡単な言葉で説明することが難しいことなどから、検査を施行するにあたって少なからずハードルを感じることがあるのではないでしょうか。

検査は標準化された方法で施行する必要がありますが、小児ではそこにちょっとしたコツが必要な場面があります。そこで、まだまだ十分とは言いがたい小児の呼吸機能検査の普及を目指して、日本小児呼吸器学会肺機能委員会が中心となって本書を企画しました。

検査の適応から施行のコツまで、医師のみならず看護師や検査技師など医療スタッフにも活用して頂けるように、できるだけシンプルでわかりやすく、かつ最新の知見も盛り込んだ内容をその道のエキスパートの先生方に執筆をお願いしました。

また、新たな試みとして、一部の検査のポイントを簡潔にまとめた医療従事者向けの動画と、検査前に患者さんに見てもらうための患者向け動画を作成しました。言葉の理解は難しくても真似することは得意なのも小児の特徴です。ぜひ検査前に患者向けの動画を見せて、検査がうまくできたときは褒めてください。

本書が、小児の呼吸機能検査のハードルを少しでも下げて、呼吸器疾患を持つ子どもたちの適切な評価と治療へつながれば幸いです。

作成にあたって多大な協力を頂いた執筆者の先生方および協和企画の方へ深謝申し上げます。

2018年9月

手塚純一郎

高瀬　真人

日本小児呼吸器学会

運営委員長 高瀬　真人 （日本医科大学多摩永山病院小児科）

呼吸機能委員会

委員長　　手塚純一郎 （福岡市立こども病院アレルギー・呼吸器科）
委　員　　長谷川久弥 （東京女子医科大学東医療センター新生児科）
　　　　　　吉田　之範 （大阪はびきの医療センター小児科）
　　　　　　平井　康太 （東海大学医学部付属八王子病院小児科）
　　　　　　長尾みづほ （国立病院機構三重病院臨床研究部/アレルギー科）
　　　　　　金子　忠弘 （公立置賜総合病院救急科）
執筆協力　杉山　　剛 （一宮西病院小児科）
　　　　　　山田　洋輔 （東京女子医科大学東医療センター新生児科）

CONTENTS

検査の解説動画について

　本書では、以下の検査について、医療従事者向けと患者さん向けの解説動画をご用意しています。

　医療従事者向けの動画では、小児の呼吸機能検査を行う全ての医療従事者に向けて、小児ならではの特徴を踏まえて、検査試行時のコツなどをわかりやすく説明しています。

　患者さん向けの動画では、検査の事前に患者さんおよび保護者に見ていただくことで、どのようなことをするのか把握していただき、安心して検査を受けていただくことができます。

【ご視聴方法】

　スマートフォンやタブレットなどのモバイル端末では、右の二次元バーコードから動画視聴サイトへアクセスしてご視聴ください。パソコンの場合は、URLからアクセスのうえご視聴ください。視聴用の二次元バーコードやURLは、各章のタイトルの横にも記されています。

　また、動画のご視聴にはパスワードが必要です。巻末の奥付ページ（58ページ）に記されておりますので、ご参照ください。

医療従事者向け

https://vimeo.com/album/5398861

患者さん向け

https://vimeo.com/album/5402884

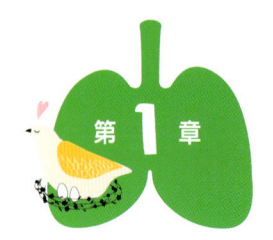

第1章 スパイロメトリーと フローボリューム曲線

解説動画はこちら

https://vimeo.com/album/5403360
（動画視聴用パスワードは58ページ）

 ## 1. 検査の目的と適応

(1)スパイロメトリー

　スパイロメトリーは、呼吸機能検査の基本的な検査方法です。X軸を時間、Y軸を肺気量の変化として、得られた曲線がスパイログラムです。測定装置のことをスパイロメーターといいます。図1-1、図1-2、表1-1にスパイロメトリーで得られるパラメーターを示します。

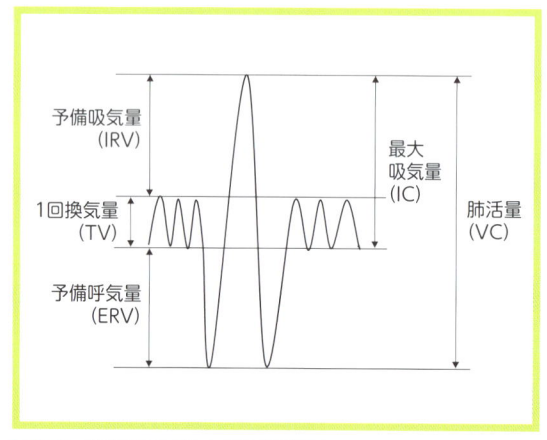

図1-1　肺気量の変化と肺気量分画

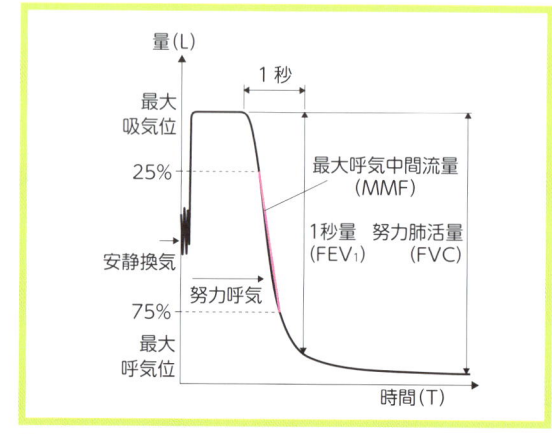

図1-2　努力呼気曲線

表1-1　スパイロメトリーで得られるパラメーター

TV（tidal volume：1回換気量）	安静換気で吸入あるいは呼出されるガス量
IRV（inspiratory reserve volume：予備吸気量）	安静呼気位から、さらに吸入できる最大ガス量
ERV（expiratory reserve volume：予備呼気量）	安静呼気位から、さらに呼出できる最大ガス量
VC（vital capacity：肺活量） %VC（対標準肺活量）	ゆっくり呼吸した際の最大呼気位と最大吸気位の間の肺活量の変化 %VCは性別、年齢、身長から求めた標準値に対する割合
FVC（forced vital capacity：努力肺活量） %FVC（対標準1秒量）	最大吸気位からできるだけ早く最大努力呼気をさせたときの肺気量の変化 %FVCは性別、年齢、身長から求めた標準値に対する割合
FEV_1（1秒量） %FEV_1（対標準1秒量）	最初の1秒間の努力呼気量 %FEV_1は性別、年齢、身長から求めた標準値に対する割合
1秒率（FEV_1/FVC）	FVCに対するFEV_1の比率
MMF（maximum mid-expiratory flow rate：最大呼気中間流量）	努力肺活量の25〜75%までの平均呼気流量

スパイロメトリーではRV（residual volume：残気量）は求められません。

（2）フローボリューム曲線

フローボリューム曲線は、FVC（forced vital capacity：努力肺活量）を測定する際に同時に記録されます。曲線のパターンによって病態を推測できるのが特徴です。表1-2にフローボリューム曲線（図1-3）で得られるパラメーターを示します。

表1-2　フローボリューム曲線で得られるパラメーター

PEF（peak expiratory flow：最大呼気流量）	フローボリューム曲線において、初期に出現する呼気流量の最大値
$\dot{V}_{50}$ %$\dot{V}_{50}$（対標準50%肺気量における呼気流速度）	FVCの最大吸気位を100%、最大呼気位を0%としたときの、50%の肺気量における呼気の気流速度 %$\dot{V}_{50}$は性別、年齢、身長から求めた標準値に対する割合
$\dot{V}_{25}$ %$\dot{V}_{25}$（対標準25%肺気量における呼気流速度）	FVCの最大吸気位を100%、最大呼気位を0%としたときの、25%の肺気量における呼気の気流速度 %$\dot{V}_{25}$は性別、年齢、身長から求めた標準値に対する割合

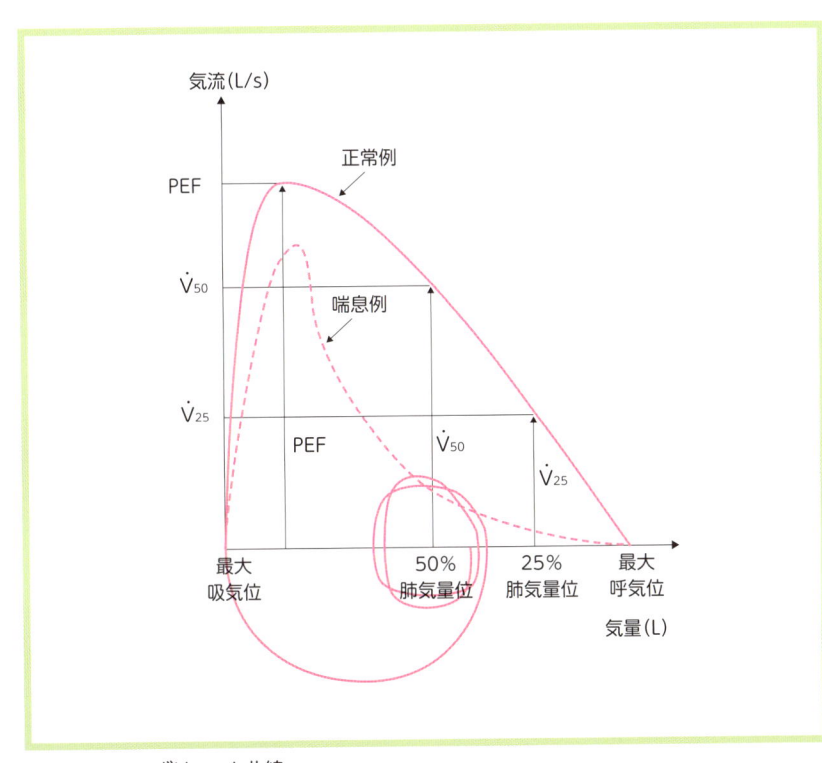

図1-3　フローボリューム曲線

（3）対象年齢

「吸って」「吐いて」などの声かけが理解できて従うことができるようであれば検査は可能です。

一般的には、最大努力呼気を行うことから年少児には難しく、おおむね5〜6歳ころから可能といわれています。

なお、2009年に日本小児呼吸器疾患学会（現日本小児呼吸器学会）は6歳以上の基準値を作成しました[3]。

🌱 2. 検査の準備

(1)スパイロメーター

　ボリュームの測定方法により気流型と気量型に分けられます。

①気流型：差圧式流量計(ニューモタコグラフ)や熱線流量計を用いて流速を測定します。容積は流速を積分して算出します。小型で比較的安価であるため、診療においてベッドサイドで使用しやすい機器です(図1-4a)。

②気量型：ベローズ型またはローリングシール型と呼ばれる機種で、スパイロメトリーでは測定できない残気量を含めた肺気量分画を精密に測定できますが、大型で高価です(図1-4b)。

　各々の機器に選択されている小児の予測式を確認します。

※古い機種では2009年の予測式が入っていない場合があります。

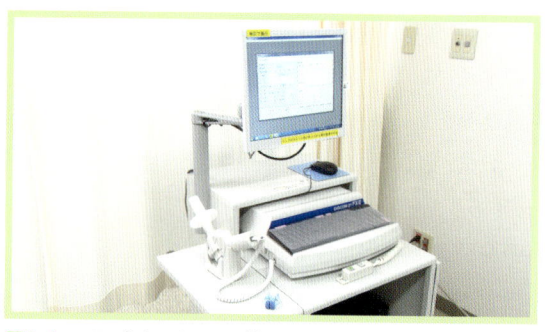

図1-4a　スパイロメーター(気流型)

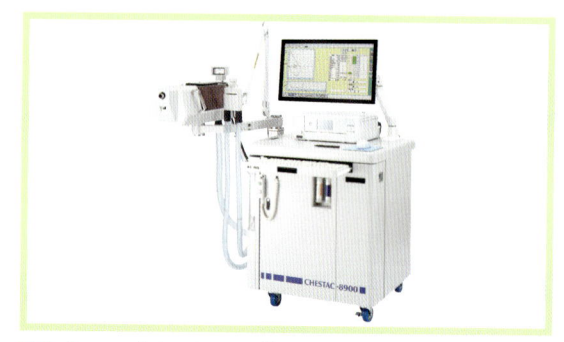

図1-4b　スパイロメーター(気量型)

(2)マウスピース, フィルター, ノーズクリップ

　マウスピースは円柱状の紙のマウスピースとフィルター付きマウスピースがあります。紙のマウスピースの場合は、機種に適したフィルターとマウスピースをセットしてください。マウスピースは隙間ができないように、噛みつぶさないようにくわえてください(図1-5)。ノーズクリップは原則使用して検査を行いますが、フローボリューム曲線の測定においては必須ではありません。

検査に必要な物品

> スパイロメーター、マウスピース、フィルター、
> ノーズクリップ

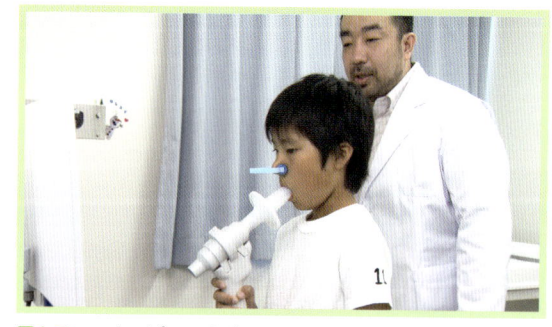

図1-5　マウスピースを噛みつぶさないようにくわえる

(3)検査前の使用薬剤の確認

　第2章において影響を与え得るとして記載されている薬剤は、通常の呼吸機能検査でも影響を与えます。特に、長時間作用性β_2刺激薬(吸入薬、内服薬、貼付薬)、短時間作用性β_2刺激薬(吸入薬、内服薬)、吸入抗コリン薬(短時間作用性、長時間作用性)、テオフィリン徐放製剤、ステロイド薬の全身投与について、検査前の使用の有無を確認することが重要です。可能であれば、休薬してから行うほうが被験者本来の数値が得られます。中止が不可能な場合は、結果判定は使用薬剤の影響を考慮して行ってください。

第1章 スパイロメトリーとフローボリューム曲線

第2章 気道可逆性検査

第3章 喘息運動負荷検査

第4章 気道過敏性検査

第5章 呼吸抵抗検査（強制オシレーション法）

第6章 呼気中一酸化窒素濃度（FeNO）測定

第7章 肺シンチグラフィ

第8章 睡眠時無呼吸の検査：ポリソムノグラフィと簡易検査

第9章 先天性中枢性低換気症候群（CCHS）の検査

3. 手技の実際

(1) 肺活量（VC）の測定（標準法）（表1-3）

　標準法では吸気肺活量と呼気肺活量の大きいほうを肺活量とします。しかし、子どもでは安静呼吸から最大吸気、最大呼気を行う呼気肺活量を肺活量とすることもあります。測定後は妥当性、再現性を確認し、最大の肺活量を選択します。表1-4は2004年に日本呼吸器学会の示した妥当性・再現性・選択基準です。

air trapping index

　健常者では肺活量と努力肺活量はほぼ等しいのですが、肺気腫や気管支喘息（以下、喘息）などでは、呼気が不十分な状態で終了するため努力肺活量は肺活量に比べて減少します。この現象を空気のとらえこみ（air trapping：エアトラッピング）現象といい、下記のair trapping indexで示します。健常者のindexは5%以内です。

$$air\ trapping\ index(\%)=[(VC-FVC)/VC]\times100$$

表1-3　肺活量測定の手順

1	3回以上安静換気を行い、安定して呼吸ができていることを確認します。
2	最大呼気まで吐き出します。
3	最大呼気が1秒以上プラトーになれば、最大吸気までゆっくりと吸います。
4	最大吸気で1秒以上プラトーになれば、最大呼気までゆっくりと吐き出します。
5	その後、安静換気を行います。

表1-4　肺活量測定の妥当性・再現性・選択基準

妥当性	・安静呼気位が安定している[1]。 ・最大呼気位と最大吸気位のプラトー[2]が確認できる。 ・吸気肺活量≒呼気肺活量[3]である。
再現性	2つの妥当な測定結果で、最大の肺活量と2番目の肺活量の差が150mL以下。
選択	最大の肺活量を示した測定結果を選択する。

[1]：安定とは安静呼気位の帰線が水平で最大吸気位と最大呼気位の呼気側3分の1から2分の1ぐらいにあることをいう。
[2]：プラトーとは時間−気量曲線（スパイログラム）が1秒以上上下なく水平な場合
[3]：閉塞性換気障害では空気とらえこみ現象のため吸気肺活量＞呼気肺活量となる場合がある。

(2) フローボリューム曲線の測定（表1-5）

　測定後は測定の妥当性、再現性を確認し、最良のフローボリューム曲線の結果を選択します。表1-6は日本呼吸器学会と米国胸部疾患学会が示したフローボリューム曲線の妥当性・再現性・選択基準です。

表1-5　フローボリューム曲線の手順

1	安静換気を行い、安静呼気位から最大吸気位まで吸います。
2	1秒以上息止めすることなく一気に最大努力による呼出を行い、最大呼気位まで吐き続けます。
3	小児では3秒以上、成人では最低6秒以上、吐き続けるように声をかけます。
4	1秒以上、呼気量に変化がないことをモニターで確認します。
5	3秒ないし6秒以上呼出して持続できなくなるまで、または15秒を超えた時点で検査を終了します。

表1-6 フローボリューム曲線の妥当性・再現性・選択基準[1, 4, 5]

妥当性	①フローボリューム曲線のパターンで、検査全般に十分な努力が得られており(最大吸気、すばやい呼気開始、ピーク、呼気の持続)、アーチファクト(呼気早期の咳、声出しなど)がないこと。 ②呼気開始が良好であること。 外挿気量*がFVCの5%あるいは150mLのうちいずれか大きいほうの値より少ないこと。 就学前の小児ではextrapolated volume<12.5%FVCまたは80mLである。 ③十分な呼気ができていること。 時間−気量曲線が1秒以上プラトーに達している。あるいは、プラトーにならない場合は十分な呼気時間(小児では3秒以上、成人では15秒以上、あるいは6秒以上で被検者が呼気を持続できなくなるまで)であること。
再現性	3回以上の妥当な測定結果のうち、最良のフローボリューム曲線(ベストカーブ)と次によいフローボリューム曲線(セカンドベストカーブ)のFEV₁の差とFVCの差がそれぞれ200mL以内であること。 就学前の小児では150mLもしくは10%以内。
選択	最良のフローボリューム曲線(ピークが高く、ピークに到達するまでの呼気量が少なく、最大努力の得られているもの)をベストカーブとし、その測定結果を選択する。ベストカーブ選択にあたり、FEV₁とFVCの和が大きいことも参考にする。

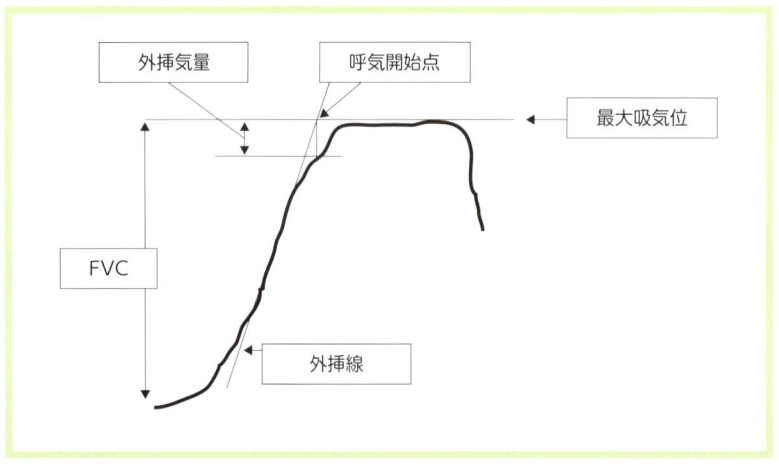

＊：外挿気量(extrapolated volume)
努力呼気曲線の最大の傾き部分の直線を延長し、最大吸気位と交わる点を努力肺活量の呼気開始点(time zero)とします。呼気開始点における呼気量を外挿気量といいます。

4. 手技のポイント

・小児の場合は座位にこだわらずに立位で行っても構いません。

・立位または座位でリラックスして行ってください。緊張で肩や頸部に力が入ると、正確な数値が得られないことがあります。緊張しているときは検査前に背伸びやストレッチ運動をするのがよいでしょう。

・検査結果と症状に乖離がある場合は、吹き方を含めて診察者自身が確認することも大切です。

・喘息の急性増悪(発作)があるときは、努力呼出をすることで、急性増悪(発作)が強くなることがあるので注意が必要です。また、循環器疾患をもつ児でも努力呼出により血圧や心拍数の変動を来す可能性があるので注意が必要です。

・子どもでは不適切な事例にも注意が必要です(表1-7)。

表1-7 子どもの呼吸機能検査でしばしば経験する不適切な事例

・紙のマウスピースの場合は、呼出したときに噛んでつぶす。

・口が小さくてマウスピースをうまくくわえられない(呼出のときに空気が漏れる)。

・何度も検査をすると嫌になって飽きる(検査の継続が困難)。

・安静呼吸に時間がかかる。

・努力呼出をしながら前屈する。

・吸気が不十分なため、正確な測定結果が得られない。

・測定中に顔が上下に動き、マウスピースとフローを測定するセンサー部分が外れる。また、検者はモニターに描出されるフローボリューム曲線ばかりを見ていて気がつかない。

第1章
スパイロメトリーと
フローボリューム曲線

第2章
気道可逆性検査

第3章
喘息運動負荷検査

第4章
気道過敏性検査

第5章
呼吸抵抗検査
(強制オシレーション法)

第6章
呼気中一酸化窒素
濃度(FeNO)測定

第7章
肺シンチグラフィ

第8章
睡眠時無呼吸の検査…
ポリソムノグラフィと簡易検査

第9章
先天性中枢性低換気
症候群(CCHS)の検査

5. 結果の解釈

(1)スパイロメトリー

　日本小児呼吸器学会が2009年に報告した日本人小児(6～17歳)の正常予測式が広く利用され、努力肺活量(FVC)は正常予測値の80%、1秒率(FEV$_1$/FVC)は小児では80%がカットオフ値です。換気障害の分類を図1-6に示します。この正常予測式は原則としてノーズクリップをし、立位か座位かは問わずに測定された結果より作成されたものです。経過のフォローアップで測定する際は立位、座位はできるだけ統一します。

　肺活量は肺水腫、片側肺摘出術後、胸水、心拡大による肺の拡張不全、筋疾患脊椎側弯症、漏斗胸、腹部膨満、肥満などで低下が認められます。また、閉塞性細気管支炎、びまん性汎細気管支炎、喘息では残気量が増加するため肺活量の低下が認められます。1秒量は肺気量と気道閉塞により規定されますが、1秒率は肺気量の影響が除かれているので、1秒量よりも閉塞性障害の程度を反映するのに優れています。

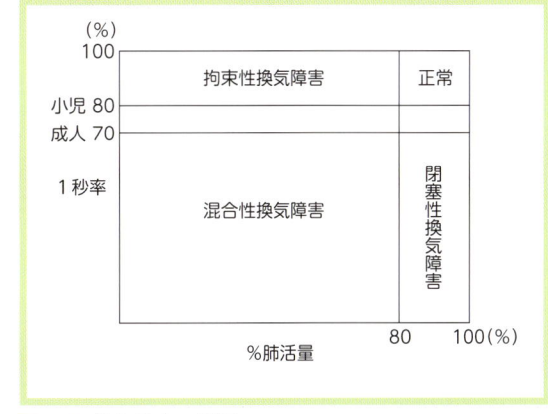

図1-6　換気障害の分類

(2)フローボリューム曲線

　最大呼気流量(PEF)は呼吸筋筋力の低下、肺気量の減少などにより低下します。また、中枢気道の指標ともいわれており、中枢気道(主に気管・葉気管支付近)の狭窄によっても低下します。一方、$\dot{V}_{50}$、$\dot{V}_{25}$は末梢気道の指標といわれています。日本小児呼吸器学会の基準では、$\dot{V}_{50}$(50%肺気量における呼気気流速度)は正常予測値の65%、$\dot{V}_{25}$(25%肺気量における呼気気流速度)は60%がカットオフ値(表1-8)です。

　しかし、1秒率や$\dot{V}_{50}$が基準値以上であっても、フローボリューム曲線の下降脚が下に凸であれば閉塞性換気障害を示唆します。したがって、フローボリューム曲線のパターンから総合的に判断してください。また、フローボリューム曲線では吸気曲線に注目することも重要です。疾患ごとのフローボリューム曲線のパターンを図1-7に示します。

表1-8　呼吸機能検査における小児のカットオフ値

%FVC(対標準努力肺活量)	80%
%FEV$_1$(対標準1秒量)	80%
1秒率(FEV$_1$/FVC)	80%
%$\dot{V}_{50}$(対標準50%肺気量における呼気気流速度)	65%
%$\dot{V}_{25}$(対標準25%肺気量における呼気気流速度)	60%
%PEF	65%
%MMF	65%

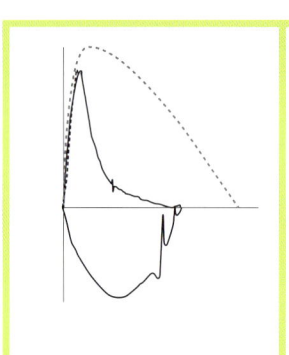

a 気管支喘息

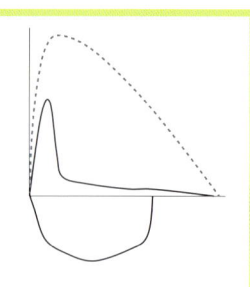

b 気管軟化症、COPDなどの
気腫状の変化を来す肺疾患

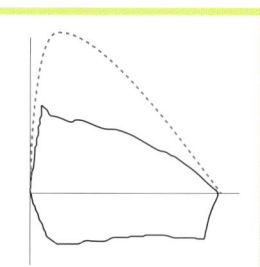

c 気管狭窄症(固定性狭窄)
吸気・呼気ともに気流制限
があり、早期に気流速度が
プラトーになる

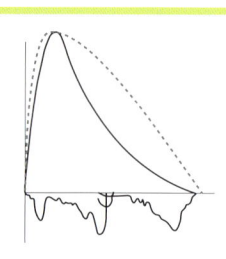

d 声帯機能不全
呼気のパターンよりも
吸気のパターンに注目
(十分に吸えない)

COPD(chronic obstructive pulmonary disease)：慢性閉塞性肺疾患
図1-7　疾患ごとのフローボリューム曲線

(3)フローボリューム曲線のチェックポイントと不適当な曲線

　フローボリューム曲線のチェックポイントと不適当な曲線の例(図1-8)を示します。

チェックポイント

> 「最大努力での吸気と最大努力での呼出」ができているかを確認する。
>
> ・吸気時
> □十分に吸えているか?
> □曲線が平坦化していないか?(ピークが認められるか?)
>
> ・呼気時
> □素早く、強く呼気を始めているか?
> □最後まで呼出できているか?
> □呼出中に咳や声出しはないか?
>
> ・その他
> □再現性はあるか?
> □その他の手技不良はないか?

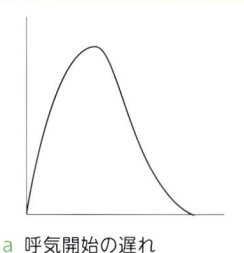

a 呼気開始の遅れ
スムーズのように見えるが、最大呼出開始時に素早く、強く吹けていない

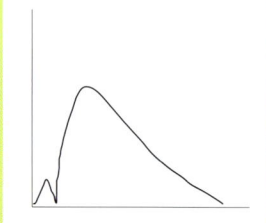

b 呼気開始の遅れ
最大呼出前に少し呼出している

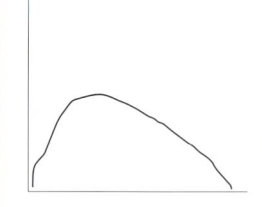

c 努力呼出ができていない

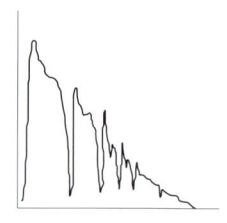

d 呼出途中に咳をしている

e 呼出途中に中断している

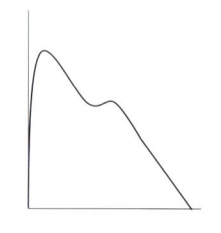

f 呼出中に再呼吸をしている

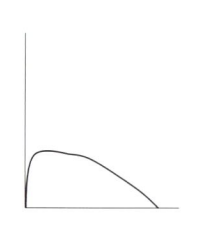

g 呼気が弱くピークが出ていない

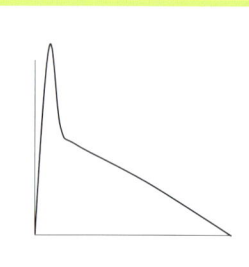

h 呼出時に舌を使っている
ピークが出すぎている

図1-8　不適当な曲線の例

🌱 6. 患者指導のポイント

　必要に応じて動作を混ぜながら、分かりやすい言葉や動作で説明することが必要です。事前の説明や検査中の声かけの例(図1-9、図1-10)を示します。

(1)肺活量の測定(標準法)

①事前の説明

- ・マウスピースを噛まずにきちんとくわえてから、普通に吸ったり、吐いたりしてください。

- ・その後に、息をゆっくりと吐けなくなるまで息を吐いてください。

- ・もう吐けなくなったら、今度は吸えなくなるまでゆっくりと息を吸ってください。

- ・そして、吸えなくなったら、もう一度吐けなくなるまでゆっくりと息を吐いてください。

②検査中の声かけ

①「まずマウスピースをきちんとくわえて、普通に吸ったり、吐いたりしてください」(リラックスして呼吸ができていることを確認してから)

②「ゆっくりと吐いて、吐いて、吐いて、吐けなくなるまで吐いてー」

　(もう吐くことができないことを確認してから)

③「ゆっくりと吸って、吸って、吸えなくなるまで吸ってー」

　(もう吸うことができないことを確認してから)

④「ゆっくりと吐いて、吐いて、吐いて、吐けなくなるまで吐いてー」

　(もう、吐くことができないことを確認してから)

⑤「それでは普通に吸ったり、吐いたりしてください」

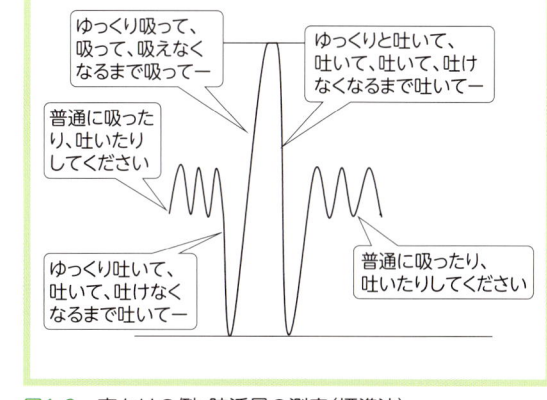

図1-9　声かけの例:肺活量の測定(標準法)

(2)フローボリューム曲線の測定

①事前の説明

　ノーズクリップは原則使用して検査を行いますが、フローボリューム曲線の測定においては必須ではありません。

> ・初めに普通に吸ったり、吐いたりしてください。その後に、息を吸えるだけいっぱい吸って、もう吸えなくなったら、いきおいよく一気に吐き出して、少しの間、吐き続けてください。
>
> ・そして、吐けなくなるまで吐いてください。

　言葉で説明した後に、検者が風車や口元にティシュペーパーをかざして吹いて見せて、その後に子どもに吹かせて、いきおいよく一気に息を吐き出して、吐き続けるというイメージを持たせることも有用です。

②検査中の声かけ

> ①「マウスピースをくわえて、いつものように吸ったり、吐いたりしてください」
> 　（リラックスして呼吸ができていることを確認しながら）
>
> ②「はい、吸って、吸って、吸ってー。吸えなるまで吸ってー」
>
> ③（吸うことができない様子であれば）「はい、一気に、ふぅー、吐いて、吐いて、吐いてー。がんばれ！」
>
> ④（もう吐けないことを確認して）「はい、OK！」

　検査に時間がかかると、子どもが飽きて嫌になることもあります。そのため、子どもが検査に慣れている場合には、以下のように短く声かけをすることもよいでしょう。

②'検査中の声かけ

> ①「マウスピースをくわえて息を吐いてー」
> ②（十分に吐いていることを確認して）
> 　「はい、大きく吸って、一気に、ふぅー、吐いて、吐いて、吐いてー」
> 　「はい、OK！」

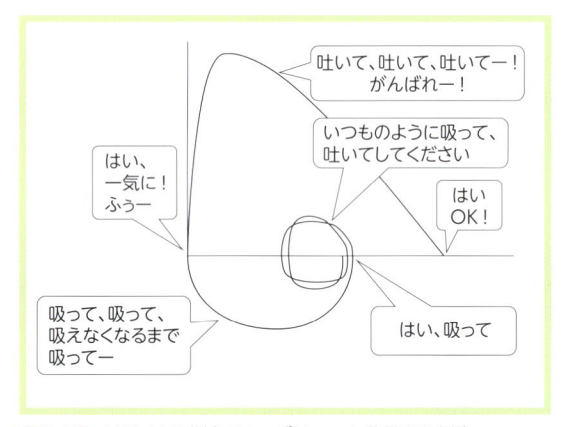

図1-10　声かけの例（フローボリューム曲線の測定）

🌱 7. 検査機器のメンテナンスの方法・必要性

　以下のようなメンテナンス方法が『呼吸機能検査ガイドライン』に示されています（表1-9）。

表1-9　検査機器のメンテナンス方法[1]

毎日	使用前	・十分なウォーミングアップ ・コンピューターの動作確認 ・機器の洗浄が保たれていること ・環境データ（気温、湿度、気圧）入力 ・気量の較正と精度確認*
	使用後	・電源スイッチOFF ・機器の洗浄と消毒
週に1回		・既知健常者による測定値の精度確認
月に1回		・電源コードとプラグの安全点検
年に1～2回		・機器メーカーによる定期点検

＊：較正シリンジの使い方は取り扱い説明書を確認してください。最近では較正が不要な機器も発売されているので、詳細は取り扱い説明書で確認してください。

8. 感染対策

感染症に罹患している患者（マイコプラズマ感染症、インフルエンザ感染症などの飛沫感染、接触感染が考えられる病原体気道感染）、口腔内の出血や血痰がある場合は検査を控えてください。なお、結核や、結核が疑われる場合は検査を行わないでください。

また、機器の表面の粉塵や埃、汚れは日常的に拭いてください。マウスピースやマウスフィルターが必要な機種では患者ごとに交換してください。フローを感知するセンサー部分の交換頻度や消毒については、それぞれの機器で推奨されている方法があるので、取り扱い説明書で確認してください。

参考文献

1) 日本呼吸器学会肺生理専門委員会. 呼吸機能検査ガイドラインースパイロメトリー，フローボリューム曲線，肺拡散能力ー. メディカルレビュー社, 東京, 2004.
2) 日本小児アレルギー学会. 小児気管支喘息治療・管理ガイドライン2017. 協和企画，東京，2017.
3) 高瀬真人，坂田　宏，鹿田昌宏, 他. 日本人小児におけるスパイログラム基準値の作成(最終報告). 日本小児呼吸器疾患学会雑誌. 2009；19：164-76.
4) Culver BH, Graham BL, Coates AL, et al. Recommendations for a Standardized Pulmonary Function Report. An Official American Thoracic Society Technical Statement. Am J Respir Crit Care Med. 2017;196:1463-72.
5) Wanger J. ATS Pulmonary Function Laboratory Management and Procedure Manual, Third Edition. American Thoracic Society, New York, 2016.

第2章 気道可逆性検査

解説動画はこちら

https://vimeo.com/album/5403365
（動画視聴用パスワードは58ページ）

🌱 1. 検査の目的と適応

　気管支拡張薬の吸入前後で1秒量（FEV$_1$）を測定して改善の割合を計算し、気道の可逆性の程度を判定します。**気管支喘息の診断や経過を評価する指標として**欠かせない検査です。

🌱 2. 検査の準備

　気管支拡張薬は検査に影響を与える可能性があります（表2-1）[1, 2, 5]。可能な範囲で休薬して行うほうがより正確な数値が得られます。休薬が不可能な場合は、結果判定は使用薬剤を考慮して行ってください。

表2-1　気道可逆性検査前に中止することが望ましい薬剤[1, 2, 5]

気管支拡張薬	中止期間
β$_2$刺激薬	
短時間作用性吸入薬 （例：サルブタモール）	4〜6時間
長時間作用性吸入薬 （例：サルメテロール）	24時間
超長時間作用性吸入薬 （例：インダカテロール、ビランテロール）	36時間
抗コリン薬	
短時間作用性吸入薬 （例：イプラトロピウム）	12時間
長時間作用性吸入薬 （例：チオトロピウム、ウメクリジニウム、グリコピロニウム）	36〜48時間

経口・貼付β$_2$刺激薬について明確な基準はありませんが、12〜24時間とする報告があります。

🌱 3. 手技の実際（表2-2）

表2-2　気道可逆性検査の手順

1	吸入前の努力肺活量を測定します。
2	気管支拡張薬（表2-3）を吸入します。
3	15〜30分後に努力肺活量を測定し、FEV$_1$の改善量と改善率を測定し、次の式で計算します。 $$改善量 = 吸入後のFEV_1 - 吸入前のFEV_1 \ (mL)$$ $$改善率 = \frac{（吸入後のFEV_1 - 吸入前のFEV_1）}{吸入前のFEV_1} \times 100 \ (\%)$$

第1章 スパイロメトリーとフローボリューム曲線

第2章 気道可逆性検査

第3章 喘息運動負荷検査

第4章 気道過敏性検査

第5章 呼吸抵抗検査（強制オシレーション法）

第6章 呼気中一酸化窒素濃度（FeNO）測定

第7章 肺シンチグラフィ

第8章 睡眠時呼吸の検査：ポリソムノグラフィと簡易検査

第9章 先天性中枢性低換気症候群（CCHS）の検査

表2-3 気道可逆性検査に使用する代表的な吸入気管支拡張薬

気管支拡張薬	吸入方法	投与例(成人)	投与例(小児)	吸入後の検査
短時間作用性β₂刺激薬	pMDIで吸入（スペーサー使用可）	サルブタモール硫酸塩2吸入*1（200μg）プロカテロール塩酸塩2吸入（20μg）	サルブタモール硫酸塩1吸入（100μg）*2 プロカテロール塩酸塩1吸入（10μg）	15～30分後
	加圧式ネブライザーで吸入	サルブタモール硫酸塩0.3～0.5mL(1.5～2.5mg) プロカテロール塩酸塩0.3～0.5mL(30～50μg)	サルブタモール硫酸塩0.3mL(1.5mg) プロカテロール塩酸塩0.3mL(30μg)	

*1：必要な場合は4吸入まで可
*2：必要な場合は2吸入まで可

4. 結果の解釈

小児の基準値は確立されていませんが、成人の基準値（改善量≧200mLかつ改善率≧12%）に準じて判定します。しかし、小児では改善率10%を基準とするほうが臨床的な状態を反映するという報告もあります。

気管支拡張薬吸入前後のフローボリューム曲線の変化により、図2-1の気道閉塞のパターンに分類されます。

> 気管支拡張薬効果判定基準(成人の基準)
> 改善量≧200mL かつ 改善率≧12%

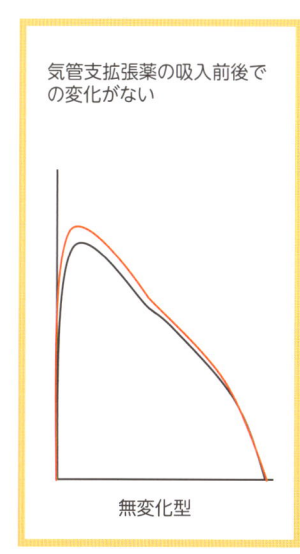

気管支拡張薬の吸入前後での変化がない

無変化型

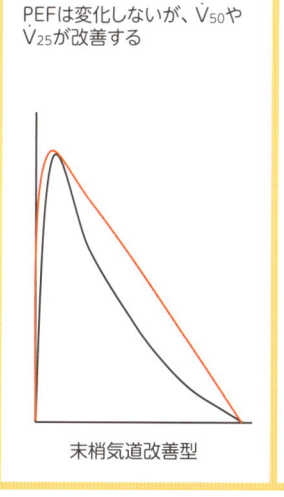

PEFは変化しないが、$\dot{V}_{50}$や$\dot{V}_{25}$が改善する

末梢気道改善型

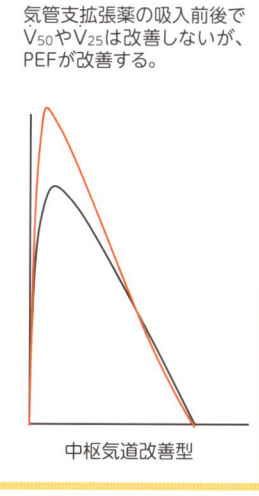

気管支拡張薬の吸入前後で$\dot{V}_{50}$や$\dot{V}_{25}$は改善しないが、PEFが改善する。

中枢気道改善型

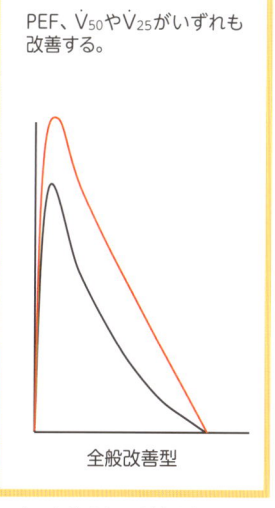

PEF、$\dot{V}_{50}$や$\dot{V}_{25}$がいずれも改善する。

全般改善型

※呼出努力が同じであるか注意して判定を行います。

図2-1 気管支拡張薬吸入前後（赤線が吸入後）でのフローボリューム曲線のパターン

参考文献

1) Culver BH, Graham BL, Coates AL, et al. Recommendations for a Standardized Pulmonary Function Report. An Official American Thoracic Society Technical Statement. Am J Respir Crit Care Med. 2017;196:1463-72.
2) Wanger J. ATS Pulmonary Function Laboratory Management and Procedure Manual, Third Edition. American Thoracic Society, New York, 2016.
3) 日本呼吸器学会肺生理専門委員会. 呼吸機能検査ガイド ライン―スパイロメトリー、フローボリューム曲線、肺拡散能力―. メディカルレビュー社, 東京, 2004.
4) 日本小児アレルギー学会. 小児気管支喘息治療・管理ガイドライン2017. 協和企画, 東京, 2017.
5) Graham BL, Steenbruggen I, Miller MR, et al. Standardization of Spirometry 2019 Update. An Official American Thoracic Society and European Respiratory Society Technical Statement. Am J Respir Crit Care Med. 2019;200:e70-e88.

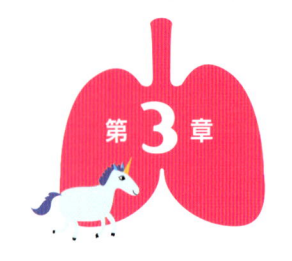 第3章

喘息運動負荷検査

 ## 1. 検査の目的と適応

　喘息運動負荷検査は、運動によって喘息発作が誘発される「運動誘発喘息（exercise induced asthma, EIA）」があるかどうかを調べる検査です。気道過敏性を調べる検査の一つですが、**気管支喘息（以下、喘息）の診断や重症度の評価、運動時の咳き込みや息切れ、胸痛などの原因を検索する**目的で行われます。

 ## 2. 検査の準備

　運動負荷を行うための機器とスパイロメーターを準備します。一定量の運動負荷を行うための機器として、トレッドミルを使用する方法と自転車エルゴメーターを使用する方法があります。運動中のモニターを行うため呼吸心拍モニターとパルスオキシメーターを準備します。

　また、運動によって強い喘息発作が惹起されたときの対応ができるように、短時間作用性β_2刺激薬の吸入と酸素を用意しておきます。

検査に必要な物品

> 運動負荷を行うための機器
> （トレッドミルもしくは自転車エルゴメーター）、
> スパイロメーター、マウスピース、フィルター、
> ノーズクリップ、呼吸心拍モニター、
> パルスオキシメーター、短時間作用性吸入β_2刺激薬、
> 酸素、タイマー、記録用紙（巻末資料参照）

　検査に先立って影響を与える薬剤を休薬しておきます（表3-1）[1,2]。

表3-1　喘息運動負荷試験前に中止する薬剤[1,2]

薬剤	中止期間
β_2刺激薬	
短時間作用性吸入薬 　（例：サルブタモール）	6時間
長時間作用性吸入薬 　（例：サルメテロール）	36時間
超長時間作用性吸入薬 　（例：インダカテロール、ビランテロール）	48時間
抗コリン薬	
短時間作用性吸入薬 　（例：イプラトロピウム）	12時間
長時間作用性吸入薬 　（例：チオトロピウム）	48時間
テオフィリン徐放製剤	48時間
抗ヒスタミン薬	3日間

経口・貼付β_2刺激薬について明確な基準はありませんが、12〜24時間とする報告があります。

 ## 3. 手技の実際

　呼吸心拍モニターとパルスオキシメーターを装着して、スパイロメトリーの実施後（%FEV_1＞70％が望ましい）に運動負荷を開始します。自転車エルゴメーターもしくはトレッドミルで運動負荷を6分間行い、運動負荷直後、5分後、15分後にスパイロメトリーを実施します（表3-2）[3,4]。運動時の胸痛など心疾患も疑われる場合は、12誘導心電図を同時に記録しておくことが望ましいです。

表3-2　運動負荷試験の方法[3,4]

	自転車エルゴメーター	トレッドミル
開始時負荷強度	0.035kp/kg, 60rpm （または2.1W/kg）	10%傾斜角 6km/時
持続時間	6分間	
適切な負荷条件	運動負荷時の心拍数が160〜170以上 負荷前, 負荷直後, 5分後, 15分後にスパイロメトリーを施行。	
評価	最大低下率（Max %Fall）＝〔（負荷前値－最も低下した値）÷負荷前値〕×100	
陽性の判定	Max %Fall FEV_1≧15%	

🌱 4. 結果の解釈

前値に対してFEV₁が最も低下したところで最大低下率（Max %Fall FEV₁）を算出して、15％以上を陽性と判定します。運動負荷5分後に最大低下することが多く、5分後のスパイロメトリーの結果が最も重要です（図3-1）[5]。

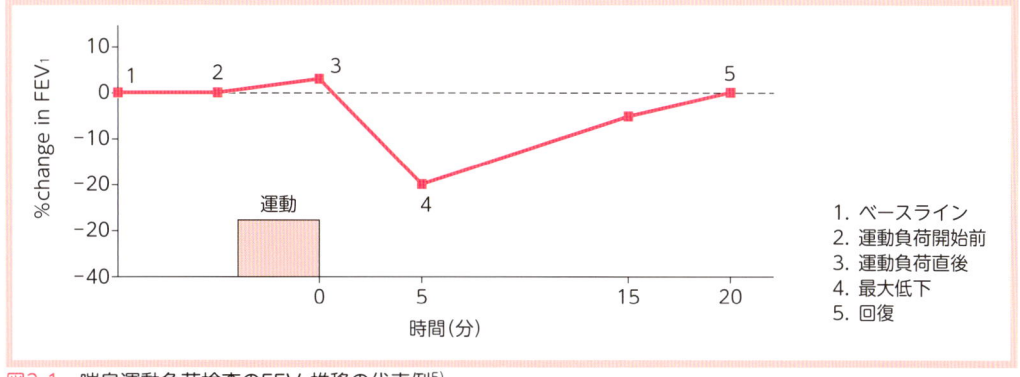

図3-1　喘息運動負荷検査のFEV₁推移の代表例[5]

🌱 5. 患者指導のポイント

事前に検査当日は運動しやすい服装で来院するように説明しておきます。検査中は心拍数がしっかり上がっていることが重要になるので、日常的に激しいスポーツをしている人の場合は心拍数の変化を見ながら負荷量を上げる必要があります。特に最後の2分間は、しっかり目標心拍数がキープできるように負荷量を調整します。

自転車エルゴメーターは、体格が小さい場合はペダルに足が届かないことがあり、また脚力がないと回転数をキープできずに心拍数が十分に上がらないことがあります。このような場合には、トレッドミルを使用したほうが効果的に運動負荷をかけることができるでしょう。負荷検査を行っている最中は、励ましながらしっかりと運動負荷がかかるようにします。終了直後のフローボリューム曲線は息が整っていないことがあるので、上手に検査ができるように声かけをします。

参考文献

1) Culver BH, Graham BL, Coates AL, et al. Recommendations for a Standardized Pulmonary Function Report. An Official American Thoracic Society Technical Statement. Am J Respir Crit Care Med. 2017;196:1463-72.
2) Wanger J. ATS Pulmonary Function Laboratory Management and Procedure Manual, Third Edition. American Thoracic Society, New York, 2016.
3) 日本小児アレルギー学会. 小児気管支喘息治療・管理ガイドライン2017. 協和企画, 東京, 2017.
4) 西間三馨. 運動誘発喘息の自転車エルゴメーターによる運動負荷量の検討. 日児誌. 1981；85：1030-8.
5) 小児アレルギー研究会EIA基準作成委員会. Exercise induced Asthma（EIA）誘発に関わる運動の種類および量の検討, 1. トレッドミルによる運動負荷について. アレルギー. 1981；30：235-43.

第1章　スパイロメトリーとフローボリューム曲線
第2章　気道可逆性検査
第3章　喘息運動負荷検査
第4章　気道過敏性検査
第5章　呼吸抵抗検査（強制オシレーション法）
第6章　呼気中一酸化窒素濃度（FeNO）測定
第7章　肺シンチグラフィ
第8章　睡眠時無呼吸の検査・ポリソムノグラフィと簡易検査
第9章　先天性中枢性低換気症候群（CCHS）の検査

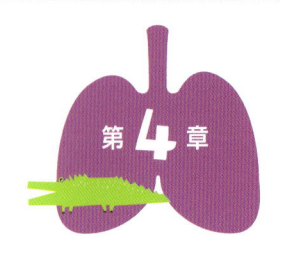

気道過敏性検査

解説動画はこちら

https://vimeo.com/album/5403366
（動画視聴用パスワードは58ページ）

🌱 1. 検査の目的と適応

喘息の基本的な病態と考えられている気道過敏性は、気道内の細胞群が正常を超えて反応することです。気道過敏性の成立には、慢性の気道炎症とリモデリングの関与が考えられています。気道過敏性検査は**喘息、咳喘息の診断や重症度、治療効果の判定、さらに治癒経過の把握**に有用です。また、小児の喘息の特徴のひとつであるアウトグロー（寛解）の病態の解明にも用いられています。

気道過敏性の測定には日本アレルギー学会標準法（図4-1）とアストグラフ法（図4-2）が用いられています。一般的に平滑筋を直接刺激するメタコリン、ヒスタミン、アセチルコリンを吸入薬剤として使用します。ここでは日本アレルギー学会標準法とアストグラフ法について解説します。測定方法の比較を表4-1に示します。

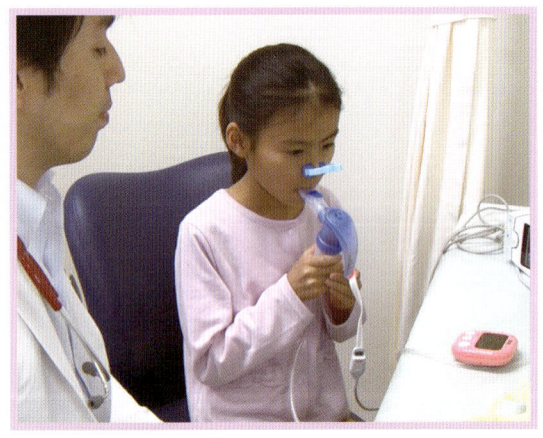

図4-1　日本アレルギー学会標準法での検査の様子

図4-2　アストグラフ法での検査の様子

表4-1　気道過敏性の測定方法の比較

	測定項目	指標	特徴
日本アレルギー学会標準法	FEV_1	$PC_{20}\ FEV_1$ $PD_{20}\ FEV_1$	・機器が簡便 ・検査時間が長い ・努力呼吸が必要 ・一過性の気管支拡張作用
アストグラフ法	Rrs, Grs	Dmin, SRrs	・深呼吸、努力性呼吸が必要ない ・測定が連続的で簡便 ・検査時間が短い ・機器が高価 ・安静換気で測定

Rrs：呼吸抵抗, Grs：呼吸抵抗の逆数, Dmin：メタコリン累積投与量, SRrs：呼吸抵抗上昇時の曲線の傾き
PC_{20}(provocative concentration of bronchoconstrictor causing 20% fall from baseline)：1秒量を20%低下させるのに要した薬物濃度, FEV_1：1秒量
PD_{20}(provocative dose of bronchoconstrictor causing 20% fall from baseline)：1秒量を20%低下させるまでに吸入した薬物の累積濃度

第1章 スパイロメトリーとフローボリューム曲線

第2章 気道可逆性検査

第3章 喘息運動負荷検査

第4章 気道過敏性検査

第5章 呼吸抵抗検査（強制オシレーション法）

第6章 呼気中一酸化窒素濃度（FeNO）測定

第7章 肺シンチグラフィ

第8章 睡眠時無呼吸の検査・ポリソムノグラフィと簡易検査

第9章 先天性中枢性低換気症候群（CCHS）の検査

🌱 2. 検査の準備

気道過敏性検査の前には気道の内径に影響する薬剤を中止します（表4-2）[1, 2, 4]。

表4-2　気道過敏性検査前に休薬する薬剤[1, 2, 4]

薬剤	中止期間
β_2刺激薬	
短時間作用性吸入薬（例：サルブタモール）	6時間
長時間作用性吸入薬（例：サルメテロール）	36時間
超長時間作用性吸入薬（例：インダカテロール、ビランテロール）	48時間
抗コリン薬	
短時間作用性吸入薬（例：イプラトロピウム）	12時間
長時間作用性吸入薬（例：チオトロピウム）	168時間以上
テオフィリン徐放製剤	48時間

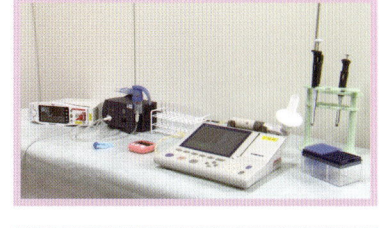
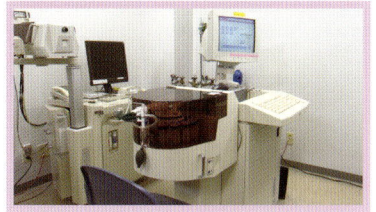

通常休薬する必要がない薬剤：クロモグリク酸ナトリウム（DSCG）、ロイコトリエン受容体拮抗薬、ステロイド薬（内服、吸入）、抗ヒスタミン薬（ヒスタミン吸入試験以外）
経口・貼付β_2刺激薬について明確な基準はありませんが、12〜24時間とする報告があります。

検査に必要な物品

日本アレルギー学会標準法
スパイロメーター、ネブライザー、嘴管（しかん）、ノーズクリップ、薬液（メタコリン、ヒスタミン、アセチルコリン）、気管支拡張薬、生理食塩水、ストップウォッチ、パルスオキシメーター、記録用紙（巻末資料参照）

アストグラフ法
アストグラフ（アストグラフ Jupiter 21）、ノーズクリップ、薬液（メタコリン）、気管支拡張薬、生理食塩水、パルスオキシメーター

オシレーション法の周波数は成人は3Hzですが、小児は呼吸数が多いので7または10Hzを用います。

🌱 3. 手技の実際

1）日本アレルギー学会標準法[3]（表4-3）

スパイロメトリーを実施してFEV_1を測定した後に、ノーズクリップを装着し、加圧式ネブライザーを用いて負荷薬剤を吸入します。ネブライザーに用いる嘴管はDeVilbiss Model 646 nebulizerやPARI LCスプリントスターネブライザーなど、粒子中央径が1.0〜3.6μmのものを選択します。前の%FEV_1は70％以上あることが望ましく、検査中はパルスオキシメーターを装着します。吸入負荷薬剤にはメタコリンかアセチルコリンまたはヒスタミンを直前に溶解して使用します。メタコリンの希釈方法の例を表4-4に示します。

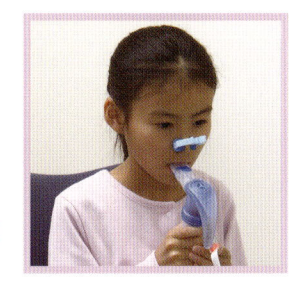

表4-3　日本アレルギー学会標準法の手順

1	検査前のFEV_1（1秒量）を測定して「基準値」とします。生理食塩水を2分間吸入します。吸入後に、もう1度FEV_1を測定し、前値より低下していないことを確認します。
2	FEV_1が基準値より20％低下した場合　検査を中止します。FEV_1が基準値より10％低下した場合　5分間休憩してから再度吸入して、それでも基準値より10％以上低下した場合は検査を中止します。
3	最低濃度の薬液を2分間吸入します。吸入が終了し次第、FEV_1を測定します。基準値の20％以上低下していなければ次の濃度の薬液の吸入に移ります。
4	上記を繰り返し、FEV_1が20％以上低下したら、そこで検査を終了します。
5	気管支拡張薬を吸入したことで改善していることを確認して検査を終了とします。

表4-4　メタコリンの希釈方法と希釈濃度

(1) 日本アレルギー学会標準法

希釈度		濃度
A	本剤100mg(1バイアル)に日局生理食塩液5mLを加え、溶解する。	20mg/mL
B	Aから3mLを別の容器に取り分け、日局生理食塩液3mLを加え、希釈する。	10mg/mL
C	Bから3mLを別の容器に取り分け、日局生理食塩液3mLを加え、希釈する。	5mg/mL
D	Cから3mLを別の容器に取り分け、日局生理食塩液3mLを加え、希釈する。	2.5mg/mL
E	Dから3mLを別の容器に取り分け、日局生理食塩液3mLを加え、希釈する。	1.25mg/mL
F	Eから3mLを別の容器に取り分け、日局生理食塩液3mLを加え、希釈する。	0.625mg/mL
G	Fから3mLを別の容器に取り分け、日局生理食塩液3mLを加え、希釈する。	0.313mg/mL
H	Gから3mLを別の容器に取り分け、日局生理食塩液3mLを加え、希釈する。	0.156mg/mL
I	Hから3mLを別の容器に取り分け、日局生理食塩液3mLを加え、希釈する。	0.078mg/mL
J	Iから3mLを別の容器に取り分け、日局生理食塩液3mLを加え、希釈する。	0.039mg/mL

(2) アストグラフ法

希釈度		濃度
A	本剤100mg(1バイアル)に日局生理食塩液4mLを加え、溶解する。	25mg/mL
B	Aから2mLを別の容器に取り分け、日局生理食塩液2mLを加え、希釈する。	12.5mg/mL
C	Bから2mLを別の容器に取り分け、日局生理食塩液2mLを加え、希釈する。	6.25mg/mL
D	Cから2mLを別の容器に取り分け、日局生理食塩液2mLを加え、希釈する。	3.125mg/mL
E	Dから2mLを別の容器に取り分け、日局生理食塩液2mLを加え、希釈する。	1.563mg/mL
F	Eから2mLを別の容器に取り分け、日局生理食塩液2mLを加え、希釈する。	0.781mg/mL
G	Fから2mLを別の容器に取り分け、日局生理食塩液2mLを加え、希釈する。	0.391mg/mL
H	Gから2mLを別の容器に取り分け、日局生理食塩液2mLを加え、希釈する。	0.195mg/mL
I	Hから2mLを別の容器に取り分け、日局生理食塩液2mLを加え、希釈する。	0.098mg/mL
J	Iから2mLを別の容器に取り分け、日局生理食塩液2mLを加え、希釈する。	0.049mg/mL

2) アストグラフ法 (表4-5)

表4-5　アストグラフ法の手順

1	気道を確保するために患者さんは背筋を伸ばして装置の前に着席します。
2	空気が漏れないようにノーズクリップを着用して、マウスピースを加えて安静呼吸を行います。
3	頬部の振動が伝わらないようにバルーンを膨らませます(図4-4)。
4	患者さんが検査手技に慣れて呼吸抵抗(Rrs)値が安定したら、生理食塩水を1分間吸入して、初期呼吸抵抗(Rrs cont)を測定します。
5	10段階の濃度に分けられたメタコリン溶液を低濃度から1分間ずつ吸入します。
6	モニター画面でRrsを確認してRrsがRrs contの2倍に達するか、最高濃度のメタコリンが終了したところでβ2刺激薬の吸入に切り替え、Rrsの初期値までの改善を確認して検査を終了とします。

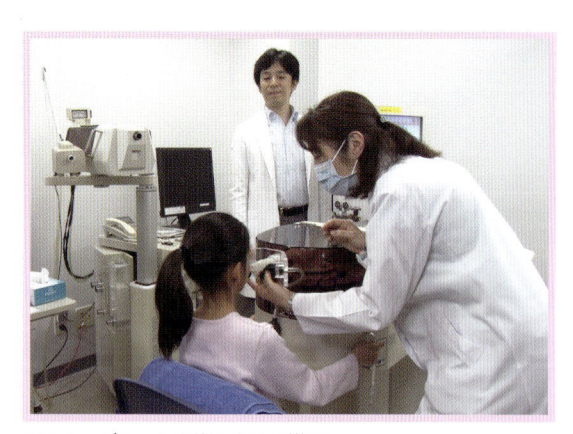

図4-4　バルーンを膨らませる様子

🌱 4. 手技のポイント

　日本アレルギー学会標準法ではFEV_1測定時の深吸気が健常者や軽症喘息例では一過性の気道拡張作用をもたらすのに対して重症喘息児ではこの反応が鈍っており、また測定時の努力呼出は気道収縮をもたらすことがあるので注意が必要です。薬剤吸入後にFEV_1を測定するため強い気道収縮が惹起された場合

も瞬時に検出できないことがあります。

　アストグラフ法では強い気道収縮に備えて気管支拡張薬、酸素吸入装置の設置が望まれます(気管支拡張薬の吸入は機器自体に組み込まれています)。また、咳嗽、嚥下、咽喉頭のいきみにより急速かつ一過性に呼吸抵抗が上昇することがあり、呼吸抵抗の評価時に

第4章 気道過敏性検査

第1章 スパイロメトリーとフロー-ボリューム曲線

第2章 気道可逆性検査

第3章 喘息運動負荷検査

第4章 気道過敏性検査

第5章 呼吸抵抗検査（強制オシレーション法）

第6章 呼気中一酸化窒素濃度（FeNO）測定

第7章 肺シンチグラフィ

第8章 睡眠時無呼吸の検査：ポリソムノグラフィと簡易検査

第9章 先天性中枢性低換気症候群（CCHS）の検査

注意が必要です。

気道攣縮が発生しても稀に明らかな呼吸抵抗の上昇を認めないことがあり、喘鳴の出現や苦悶顔貌、SpO$_2$の低下にも注意を払います。

5. 結果の解釈

1）日本アレルギー学会標準法

吸入後のFEV$_1$が基準値の20％以上低下したときの薬剤濃度を閾値とします。また、FEV$_1$を20％低下させるのに必要な薬剤濃度をPC$_{20}$と呼びます。また、それまでの累積濃度をPD$_{20}$と呼びます。

小児での気道過敏性陽性のカットオフ値は現在ありません。

成人では海外臨床研究や疫学研究で用いられているメタコリン、ヒスタミンで、どちらもPC$_{20}$が8mg/mLとしています。ATS（American Thoracic Society）のtidal breathing法による分類ではPC$_{20}$が16mg/mL以上で正常（過敏性なし）、4〜16mg/mLで境界域、1〜4mg/mLで軽度亢進、0.25〜1mg/mLで中等度、<0.25mg/mL強度と判定します。PC$_{20}$、PD$_{20}$はいずれも気道感受性、気道反応性の両方の因子を加味した指標です。

2）アストグラフ法

アストグラフの気道感受性の指標は、Rrsが上昇し始める時点でのメタコリンの累積投与量（Dmin）を用います（近年の機種はRrsの上昇開始点とピーク点を検者が目視で決定するだけでコンピューターが計算して各指標を算出します）。Rrsと同時にコンダクタンス（Grs：呼吸抵抗の逆数）も表示されます。RrsもしくはGrs曲線の傾きを気道反応性（St-Rrs）の指標として用います。

アストグラフ法においても気道過敏性陽性のカットオフ値の基準はありません。便宜上、Dminが6.20〜24.6 unitを軽度亢進、0.73〜6.20unitを中等度亢進、0.73 units以下を重度亢進としています。

$$PC_{20}=antilog\left[\ log\ C_1+\frac{(log\ C_2-log\ C_1)(20-R_1)}{(R_2-R_1)}\right]$$

C_1＝最後から2番目の濃度（FEV$_1$の20％以下の低下）
C_2＝最後の濃度（FEV$_1$の20％以上の低下）
R_1＝C_1後のFEV$_1$の低下（％）
R_2＝C_2後のFEV$_1$の低下（％）

6. 患者指導のポイント

気道収縮物質の吸入負荷試験であるため、危険を伴うという認識が必要です。事前に保護者への十分な説明を行い、インフォームドコンセントを得ておくことが大切です（巻末資料参照）。

アストグラフ法ではマウスピースをくわえたところに薬液の吸入を行うため、唾液が多量に出てきます。これを検査中に嚥下すると一過性に呼吸抵抗が上昇してしまい評価が困難になるため、患者には事前にティッシュペーパーなどを手渡して、嚥下せず舌で口外に出すように指導します。前述のように、呼吸抵抗の上昇を伴い気道攣縮などが起こる可能性もあり、常に喘鳴の有無、SpO$_2$の低下などに注意を払います。また、検査中に呼吸が苦しくなったら手を上げてもらうようにあらかじめ説明します。

参考文献

1) Culver BH, Graham BL, Coates AL, et al. Recommendations for a Standardized Pulmonary Function Report. An Official American Thoracic Society Technical Statement. Am J Respir Crit Care Med. 2017;196:1463-72.
2) Wanger J. ATS Pulmonary Function Laboratory Management and Procedure Manual, Third Edition. American Thoracic Society, New York, 2016.
3) 牧野荘平, 小林節雄, 宮本昭正, 他. 気管支喘息および過敏性肺臓炎における吸入試験の標準法. アレルギー. 1982;31:1074-6.
4) Coates AL, Wanger J, Cockcroft DW, et al. ERS technical standard on bronchial challenge testing：general considerations and performance of methacholine challenge tests. Eur Respir J. 2017;49:1601526.

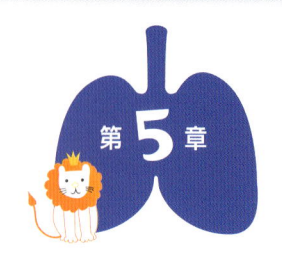

呼吸抵抗検査（強制オシレーション法）

解説動画はこちら

https://vimeo.com/album/5403367
（動画視聴用パスワードは58ページ）

 ## 1. 検査の目的と適応

強制オシレーション法（forced oscillation technique, FOT）は、患者さんの安静換気中に口側から機械的な空気振動を加えて、生じる口腔内圧（Pm）変化と気流量（V̇）からインピーダンス（Z＝Pm/V̇）を求めます。FOTで求めたインピーダンスは呼吸インピーダンス（Zrs）と表記され、Zrsは抵抗成分であるRrsと弾性および慣性の成分からなり、両者の和を呼吸リアクタンス（Xrs）と呼びます。

オシレーション波として5〜35Hz程度までの広域周波数スペクトラムをもつ雑音波やパルス波を用い、測定データをフーリエ解析することによって周波数ごとのRrs、Xrs、Zrsを1回の測定で得られるようになりました。広域周波オシレーション法として保険適用になっており、マスタースクリーンIOS®（フクダ産業）、MostGraph®

（チェスト）などの機器があります[1]。

非侵襲性で簡便であり、児の協力が最小限度で測定できるため、一般的にスパイロメトリーが5歳程度から測定可能であるのに対し、FOTは3、4歳ころから測定可能な児が増えてきます。マスタースクリーンIOS®によるFOTの各パラメーターについて日本の小児標準値の報告があります[2]。MostGraph®はマスタースクリーンIOS®と若干測定値が異なっていることがあるため、それぞれの機器で基準値を検討する必要があります。

臨床応用として小児の喘息患者の測定に有用であるという報告[3,4]もありますが、診断のためのカットオフ値などはまだなく、実測値は体格因子の影響を強く受けるため、補正するためのツールが今後の課題です。

 ## 2. 検査の準備

機械の電源を入れてから、安定させるために15分ほどおいて、スパイロフィルター、マウスピースを機器に接続します。

患者さんの性別、身長、体重、年齢（または生年月日）を確認しておきます。

検査に必要な物品（図5-1）

FOTの機器（マスタースクリーンIOS®、MostGraph®-01、MostGraph®-02など）、マウスピース、ノーズクリップ、スパイロフィルター（機種により必要）、高さの調整できる椅子

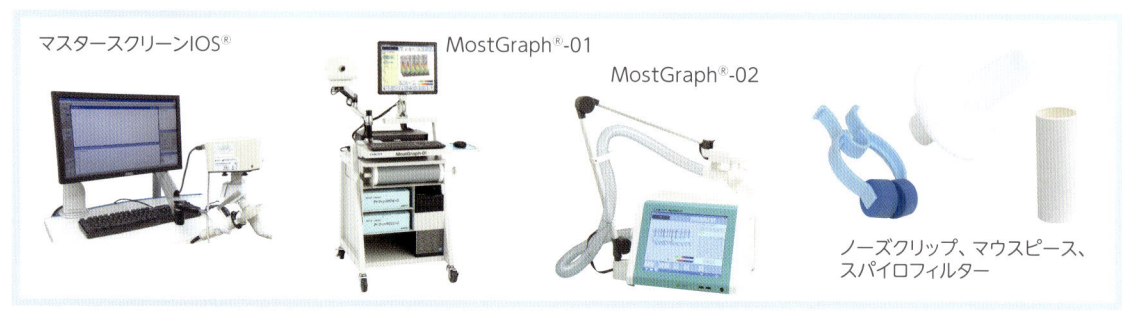

マスタースクリーンIOS®　　MostGraph®-01　　MostGraph®-02

ノーズクリップ、マウスピース、スパイロフィルター

図5-1　検査に必要な物品（一部）

第1章 スパイロメトリーと フローボリューム曲線

第2章 気道可逆性検査

第3章 喘息運動負荷検査

第4章 気道過敏性検査

第5章 呼吸抵抗検査（強制オシレーション法）

第6章 呼気中一酸化窒素濃度（FeNO）測定

第7章 肺シンチグラフィ

第8章 睡眠時無呼吸の検査…ポリソムノグラフィと簡易検査

第9章 先天性中枢性低換気症候群（CCHS）の検査

🌱 3. 手技の実際(表5-1)

表5-1　呼吸抵抗検査の手順

1	機器にマウスピースをセットします。
2	児を椅子に座らせて、姿勢を正した状態で機器との高さを調節します。
3	マウスピースを3cm程度くわえさせて、再度高さを調節します。
4	いったんマウスピースから離れて児にノーズクリップをはめて、機器の測定準備を行います。
5	機器の測定を開始して、安定していることを確認してから、児にマウスピースを口にくわえさせます。
6	頬を両手で軽く押さえて(幼少児の場合は他者が押さえます)、頬が揺れて測定値に影響を及ぼすのを防ぎます。
7	安定した呼吸が少なくとも5呼吸程度連続して測定できていることを確認して測定を終了します。
8	可能な場合は2、3回繰り返して再現性を確認します。

🌱 4. 手技のポイント

　座面の高さを調節することが特に重要です。機器側で調節できる高さには限界があるため、椅子で調節する必要があります。高すぎても低すぎても正確に測定できないため、背筋を伸ばした状態で呼吸口が自然な高さになるようにします。マウスピースを加えたときに頸が上がりすぎていないか、逆に顎を引きすぎていないか、倒れそうになるほど体が前に傾いていないかなど、機器との距離にも注意を払います(図5-2)。

　空気が軽い音を立てて機器から出てきますが、子どもによってはマウスピースをしっかりくわえずに横から空気を漏らしている場合があります。また、舌でマウスピースを閉じてしまう場合や息を止めてしまう場合があるため、測定されている呼吸波を確認しながら行います。

　安静呼吸が理想であり、力を入れて吸気呼気を繰り返す場合や、口呼吸に慣れずに呼吸が早くなりすぎる場合があります。そういった場合は、呼吸のタイミングで声をかけて同調させるようにします。

　頬を自分で押さえるのが原則ですが、強く押さえすぎて力が入りすぎないように注意が必要です。困難な場合は他者が押さえますが、かえって緊張させてしまう場合もあるため、その場合は保護者に協力を得るようにします。

　測定後は、上手くできている呼吸の部分を取り出して、再解析を行って結果とします。

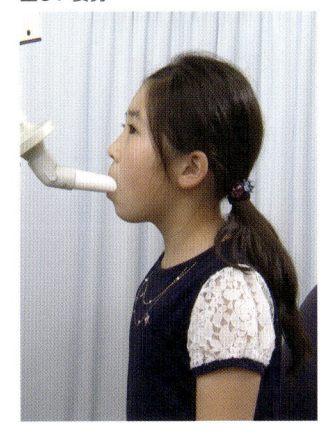 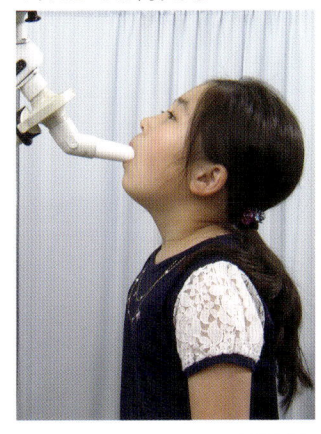 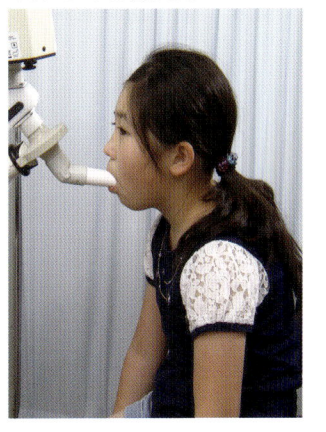

正しい姿勢　　マウスピースが高すぎる　　マウスピースが低すぎる

図5-2　強制オシレーション法での座面の高さ調節

🌱 5. 結果の解釈

小児の基準値は存在せず、症例ごとの変化の評価が中心になります。

症例1　可逆性の確認、薬剤の反応性

5歳2か月の男児：咳嗽が続いたため、かかりつけ医で吸入ステロイド薬を処方されていたが、紹介された時点でまだ持続していた。MostGraph®では可逆性の変化を認めたため、再度吸入指導を行うとともに長時間作用性β_2刺激薬を追加したところ、1か月後には可逆性の変化は少なくなり、症状の改善も認められた。

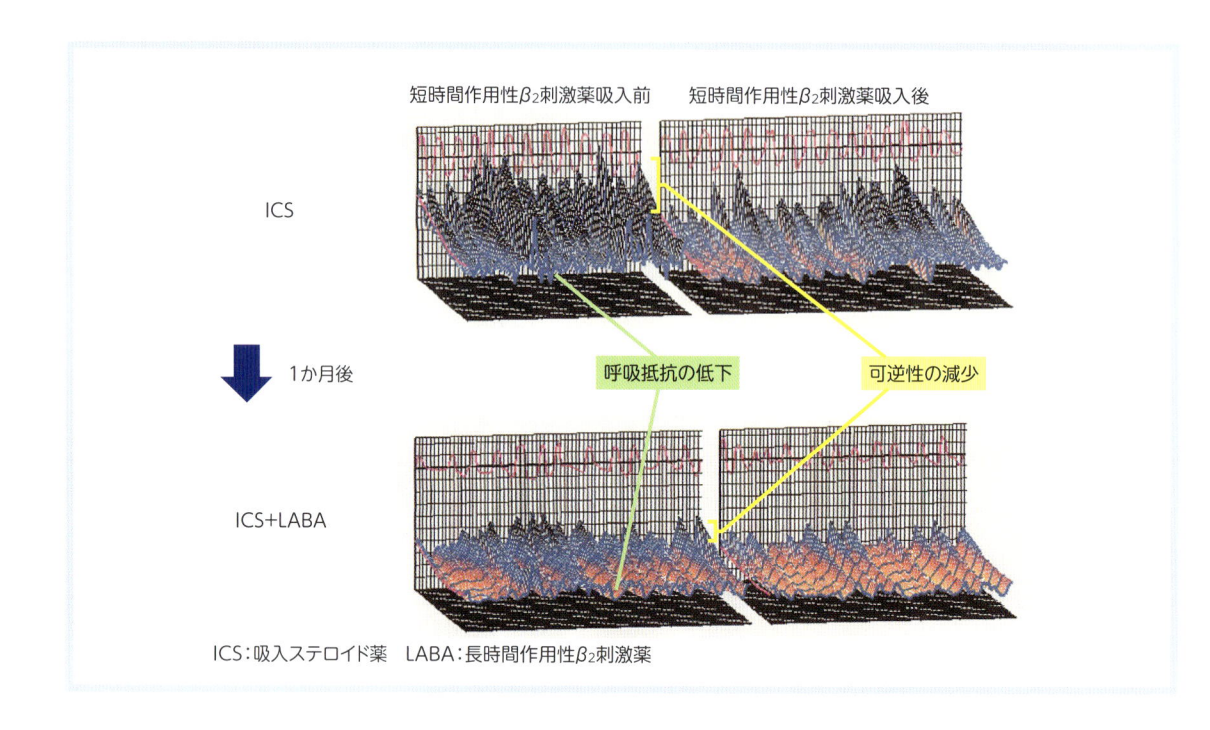

短時間作用性β_2刺激薬吸入前　　短時間作用性β_2刺激薬吸入後

ICS

1か月後

ICS+LABA

呼吸抵抗の低下　　可逆性の減少

ICS：吸入ステロイド薬　　LABA：長時間作用性β_2刺激薬

症例2　喘息発作時と非発作時

4歳6か月女児：非発作時のマスタースクリーンIOS®によるR5（5Hzでの呼吸抵抗）は0.65だったが、喘息発作で来院したときには1.14まで上昇し、短時間作用性β_2刺激薬の吸入により0.83に改善した。

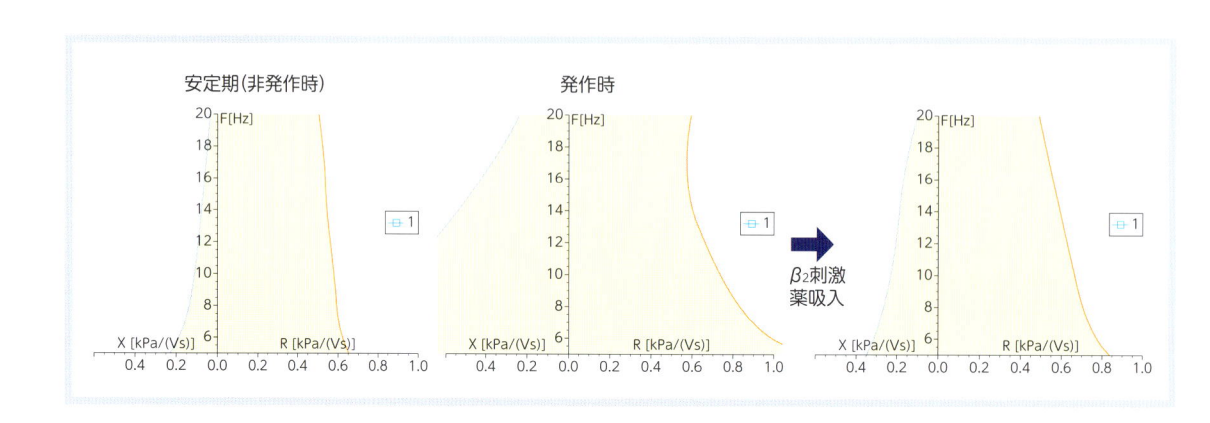

安定期（非発作時）　　発作時

β_2刺激薬吸入

IOS パラメーター		安定期	発作時	
			吸入前	吸入後
全気道抵抗	R5	0.65	1.14	0.83
中枢気道抵抗	R20	0.51	0.6	0.49
末梢気道抵抗	R5-R20	0.11	0.54	0.34
末梢容量性リアクタンス	X5	−0.22	−1.53	−0.35

R5：5Hzでの呼吸抵抗
R20：20Hzでの呼吸抵抗
X5：5Hzでの呼吸リアクタンス
R5-R20：5Hzと20Hzの呼吸抵抗の差

6. 患者指導のポイント

検査時の説明やかけ声の例を示します。

①検査前

筒から空気が「ポッポッポッ」と出てきて、どこまで空気が届くかを見ます。
全く痛くない検査なので、怖がらずに頑張ってください。

②検査開始時

マウスピースをぱくっとこの辺までくわえてください（3cmくらいのところを指し示して）。
噛んだり口を離したりせずに、この筒に向かって「スー、ハー」と呼吸を繰り返します。鼻をつまむので、口だけで呼吸をしてください。

③検査中

頬が揺れるので、軽く押さえてください。「軽く」で大丈夫です。力を入れずに楽な呼吸を繰り返してください。
いま上手にできていますから、そのまま「スー、ハー」と繰り返してください（上手くできているときに）。

④検査後

可逆性の変化が認められたときには、喘息が疑わしいといえます。
普段と比べて呼吸抵抗が強くなっているときは、喘息のコントロール状態が不良の場合や長期管理薬のアドヒアランスが低下している可能性があります。

7. 機器のメンテナンスの方法・必要性

機器の較正（キャリブレーション）を1日1回、検査前に実施します。機器の電源を入れた後、機器を安定させるために15分以上おいておきます。各機器の取扱説明書に従ってフローキャリブレーション（較正シリンジ使用）、抵抗キャリブリーション（抵抗管使用）を行います。較正検証許容基準は各メーカーの基準に従います。

8. 感染対策

基本的にはスパイロメトリーの感染対策（第1章参照）と同様です。スパイロフィルターの交換、マウスピースの交換を要します。ノーズクリップは共用しても構いませんが、汗をかいているときや成人と共用している場合はファンデーションがつく場合があるためクッション部分をティッシュペーパーで覆うなどの工夫をします。

参考文献

1) 日本呼吸器学会肺生理専門委員会. 臨床呼吸機能検査. メディカルレビュー社, 東京, 2016.
2) Hagiwara S, Mochizuki H, Muramatsu R, et al. Reference values for Japanese children's respiratory resistance using the LMS method. Allergol Int. 2014；63：113-9.
3) 矢川綾子, 今井孝成, 山川啄司, 他. 小児気管支喘息患者における強制オシレーション法による呼吸機能評価. アレルギー. 2012；61：1665-74.
4) Mochizuki H, Hirai K, Tabata H. Forced oscillation technique and childhood asthma. Allergol Int. 2012；61：373-83.

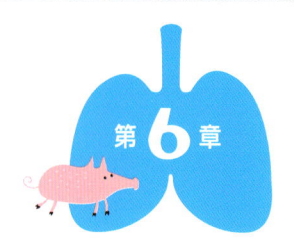

第6章 呼気中一酸化窒素濃度（FeNO）測定

解説動画はこちら

https://vimeo.com/album/5403370
（動画視聴用パスワードは58ページ）

🌱 1. 検査の目的と適応

長引く咳が喘息かどうか、繰り返す喘鳴が喘息かどうかを疑うとき、呼気中一酸化窒素濃度（FeNO）測定が有用です。ほとんどの小児の喘息では、気道に好酸球性炎症が存在します。この炎症により気道粘膜からのNO産生が亢進するので、呼気の測定でこれを簡便に評価することができるのです。

喘息の長期管理薬として、何を選択するか考える際にも測定するとよいでしょう。FeNO高値は吸入ステロイド薬の反応性を予測することが分かっています。

吸入ステロイド薬によりFeNOは低下しますが、ICS処方にもかかわらず低下しない場合、アドヒアランス不良を考えます。FeNOがアドヒアランスも反映することが報告されています。

治療モニタリングでも測定します。FeNO高値で増悪を予測できることがあります。ただし、FeNOはアレルギー性鼻炎など他の合併アレルギーでも上昇することがあり、FeNO高値でもコントロール良好、アドヒアランス良好ということもあるため、日常診療ではFeNO値だけではなく症状や呼吸機能を含めて総合的に判断する必要があります。

🌱 2. 検査の準備

FeNO測定は、保険診療による算定が可能であり、承認された測定機器は携帯型のNIOX VERO®（チェスト）（図6-1）、NObreath®（原田産業）（図6-2）がありますが、より正確で多機能な据え置き型（Nitric Oxide Analyzer Model-280iNOA, Sievers社製など）もあります。機器の電源を入れた後に、安定するまでには20分ほど（機器により異なる）を要します。測定可能な状態になったら、各FeNO測定機器に応じたマウスピースをセットします。

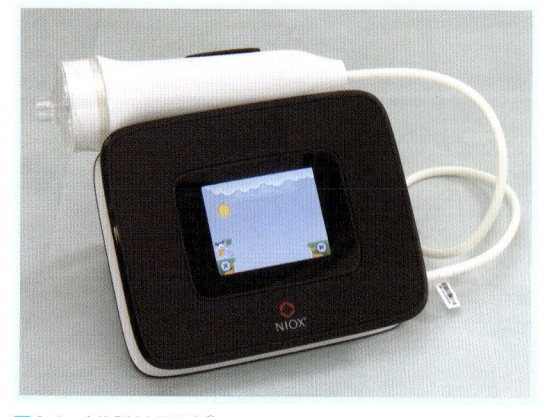

図6-1　NIOX VERO®

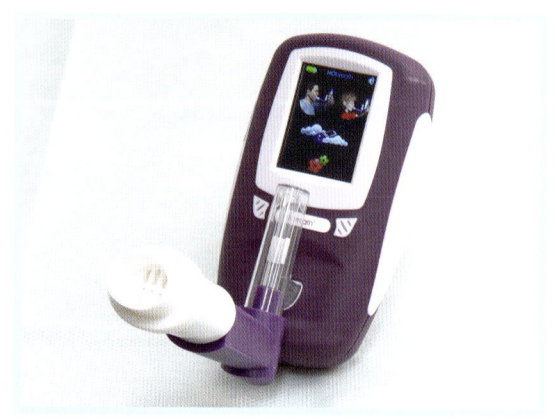

図6-2　NObreath®

🌱 3. 手技の実際 (表6-1, 図6-3, 4)

表6-1 呼気中一酸化窒素濃度測定の手順

1　口をマウスピースにつける前に息を吐き出します。

2　吐き出したら再び息を吸い込む前にマウスピースをくわえます。

3　マウスピースをくわえたまま息をできるだけたくさん吸い込みます。

4　マウスピースをくわえたままで息をゆっくり吐き出します。

5　検査終了の合図が鳴るまで安定した呼出を続けます。

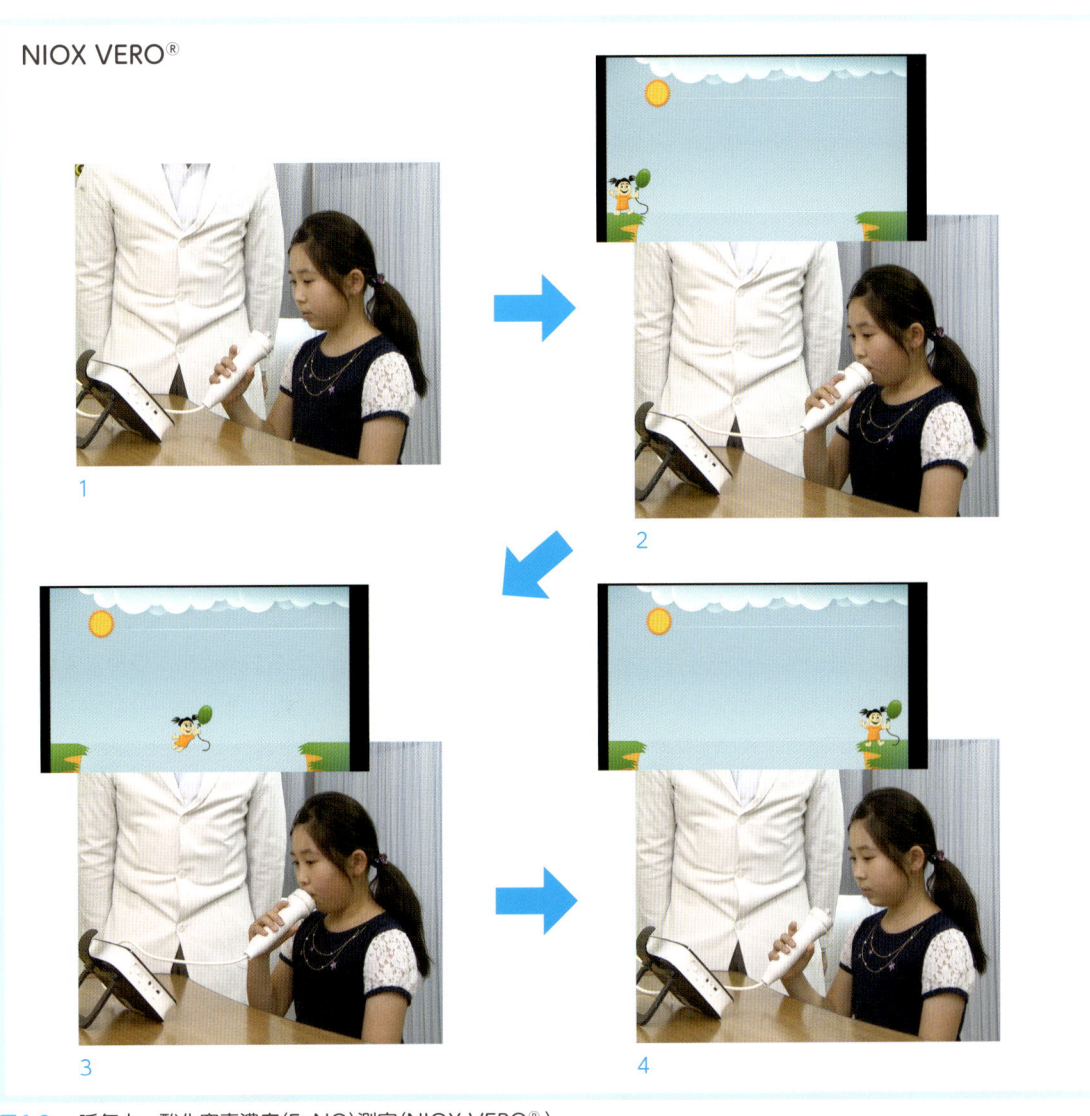

NIOX VERO®

図6-3　呼気中一酸化窒素濃度(FeNO)測定(NIOX VERO®)

第1章　スパイロメトリーとフローボリューム曲線

第2章　気道可逆性検査

第3章　喘息運動負荷検査

第4章　気道過敏性検査

第5章　呼吸抵抗検査(強制オシレーション法)

第6章　呼気中一酸化窒素濃度(FeNO)測定

第7章　肺シンチグラフィ

第8章　睡眠時無呼吸の検査 ポリソムノグラフィと簡易検査…

第9章　先天性中枢性低換気症候群(CCHS)の検査

NObreath®

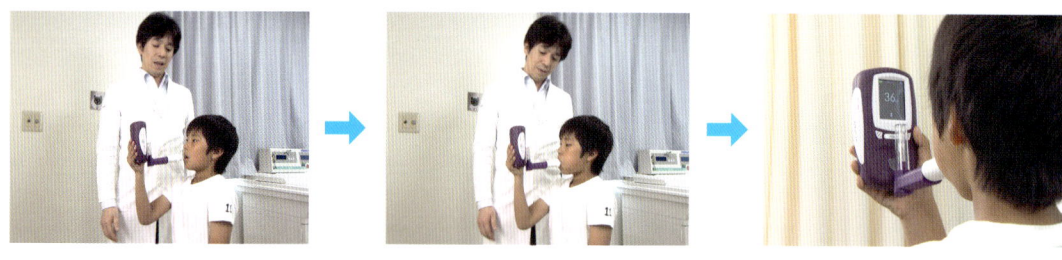

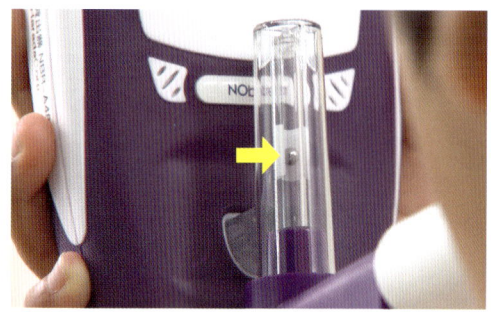

50mL/秒の呼気流速を保つためにボールが
矢印の高さに浮かぶことを目視で確認しなが
ら呼出する

図6-4　NObreath®

4. 手技のポイント(表6-2)

　幼児は「息を吸う」といっても吸気の意味が分からない
ことが多くあります。「ジュースをストローから飲むよう
に」などと吸う動作を具体的にしたほうが伝わります。

　呼気はゆっくり長く呼出する必要がありますが、大
きく吸い込んだ後は一気に吐き出しそうになるため注
意します。また「フー、フー、フー」と何度も息継ぎをす
るように呼出する児もいるため一つの呼吸を長く呼出
するよう指導します。

　上手くいかずに何度も繰り返すと嫌になってしまい
泣き出す児や怒り出す児もいるため、3回程度トライし
てできなかった場合には一度休憩するか諦めます。

　FeNO測定では、機器に内蔵された抵抗により一定
の呼気流速で口腔内圧が上昇し軟口蓋が閉じること
で鼻腔内に高い濃度で存在する一酸化窒素の混入を
防ぐため、ノーズクリップは使用しません。

表6-2　呼気中一酸化窒素濃度測定値に影響を与えるもの

増加させるもの	減少させるもの
・ウイルス性気道感染症	・呼吸機能検査の実施
・アトピー性鼻炎	・線毛機能不全
・アトピー性皮膚炎	・肺高血圧
・硝酸塩が豊富な食べ物	・気管支収縮
(レタス・ほうれん草など)	・運動
・気管支拡張薬	・飲酒
	・喫煙
	・吸入ステロイド薬

※フローボリューム曲線の測定を行う場合は先に呼気中一酸化窒素濃度測定を行います。

5. 結果の解釈

気道炎症の基準とする値は文献により幅がありますが、性別やアトピー素因の有無などが影響します。吸入ステロイド薬を使用していればFeNOは低下します。日本人小児を対象とした検討では、非喘息児の小児の中央値として小学生男子では12ppb、女子で10ppb、中学生男児で18ppb、女児で11ppbとされていますが、アレルギー性鼻炎があると若干高値となる傾向があるため、喘息の診断を行う際には鼻炎の有無を確認します。ATSのガイドラインでは小児の気道炎症のカットオフ値として35ppbを目安としています[1]。

6. 患者指導のポイント

検査前は、「これから気道（空気の通り道）に炎症がどれくらいあるかを見る検査をします。まったく痛くありませんが少し難しいかもしれないので頑張りましょう」といった声かけで、検査は非侵襲的であることを説明します。検査中は、約6秒または10秒間、一定の呼気流速（50mL/秒）で呼出をする必要があるため、笑ったりすることのないよう注意します。

NIOX VERO®は音で望ましい流速かどうかが分かり、できていなければ測定結果が出ないようになっています。NObreath®の場合は、望ましい速度になっているかどうかは、流速計を見ていることしかできないため、反復測定をしたほうがより正確な測定ができます。検査結果の解釈は、そのときの喘息の状態、使用している薬剤、合併症などにより異なるため、検査結果のみで判断せずに総合的に評価して伝えるようにしてください。

7. 機器のメンテナンスの方法・必要性

NObreath®はNOの判定基準に適合しているかどうかを調べる較正作業が必要になると、機器にアラートが表示されます。乾電池を使用するため、電池切れのときも同様にアラートが表示されます。NIOX VERO®は特別なメンテナンスは不要ですが、測定するセンサーは消耗品であり、決められた測定回数が終了すると交換が必要です。

8. 感染対策

患者ごとにマウスピースを交換する必要がありますが、詳細は各機器のマニュアルを参考にしてメンテナンスを行います。

参考文献

1) 日本小児アレルギー学会. 小児気管支喘息治療・管理ガイドライン2017. 協和企画, 東京, 2017.

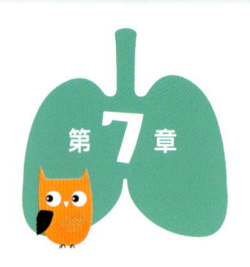

第7章 肺シンチグラフィ

肺の主要な機能は呼吸機能であり、ガス交換と肺血流の調和により行われます。また、肺は呼吸機能に加えて、気道クリアランス機能や肺上皮透過性、代謝機能、免疫機能などの非呼吸性機能も担っています。肺シンチグラフィは放射性同位元素（radioisotope, RI）で標識した放射性医薬品またはRIを単独で使用してこれらの機能を非侵襲的に評価する検査法です（表7-1）。

この稿では呼吸機能の評価である肺換気・血流シンチグラフィについて述べます。

表7-1　肺シンチグラフィの特徴

1) 形態学的評価とともに機能的評価が可能
   呼吸器疾患の評価、経過観察において胸部単純X線写真や胸部CTによる形態的評価とともに機能的評価を行うことは非常に重要ですが、肺シンチグラフィでは核種の投与により換気・血流分布を画像化できます。
2) 局所肺機能の評価が可能
   スパイロメトリーや血液ガス分析は全肺の呼吸、ガス交換能の評価であり左右別や局所肺機能異常の検出や程度を知ることはできません。肺シンチグラフィでは画像化した換気・血流分布から局所肺機能を評価することができます。
3) 患児の協力や努力を必要としない
   肺シンチグラフィは患児の協力や努力を必要としないため、新生児期から思春期までの各年齢層に対して同一の検査方法で評価が可能です。

1. 検査の目的・適応

(1) 診断

胸部X線写真で局所性の透過性亢進や左右差を認める場合の閉塞性肺疾患や嚢胞性肺疾患、肺塞栓症、気道異物などの診断に有用です。

(2) 手術適応の補助的診断

気管支拡張症などに対する切除術では病変部、残存肺の機能を考慮した手術適応が検討できます。

(3) 経過観察

慢性肺疾患や横隔膜ヘルニア術後などの呼吸機能を新生児期から長期的かつ客観的な評価できます。

2. 検査の準備

シンチレーションカメラ（図7-1）で撮影を行います。必要な核種と、核種吸入のための鼻カニューラ、マスク、栄養チューブ、小児用天板、患児の身体を固定するためのバスタオルなどを準備します。また、核種の静脈注射、鎮静のために前もって末梢静脈路を確保しておくことが望まれます。

肺換気シンチグラフィでは^{81m}Kr、^{133}Xeガス、肺血流シンチグラフィでは^{99m}Tc-MAA（macroaggregated human serum albumin：大凝集人血清アルブミン）を準備します。それぞれの核種の特徴は下記の通りです。

^{81m}Kr、^{133}Xeはともに不活性ガスのため、吸入しても約95%は呼出されるので、肺の換気能検査に適しています。^{81m}Krは半減期13秒と短く、持続吸入しながら安静呼吸下に換気分布を撮像します。連続観察や反復検査が可能である特徴を生かし、負荷試験中の肺機能の変化に即応して評価することも可能です。

^{133}Xeは半減期が5日と長く、閉鎖回路を用い呼気を

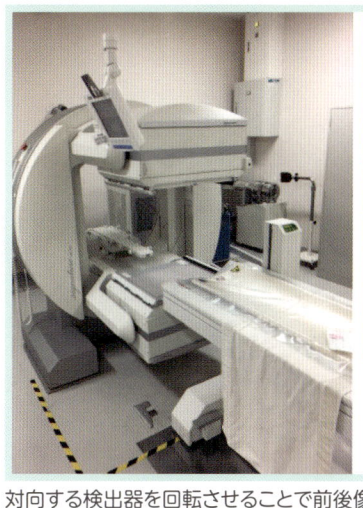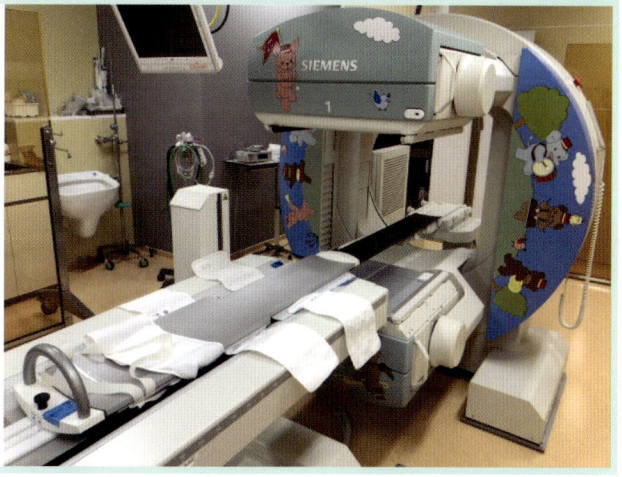

対向する検出器を回転させることで前後像、側面像などが撮影できます。
右のように小児病院ではイラストが描かれ、患児がリラックスして検査を受けられるような工夫がされています。
また、成人用よりも幅の狭い小児用天板を使用しています。

図7-1　シンチレーションカメラ

トラップ装置内に蓄えてフィルターに吸着させる必要がありますが、換気分布に加えてair trapping（エアトラッピング）を評価できます（2016年に核種が製造中止となっています）。

^{99m}Tc-MAAは肺毛細血管を通過できない程度の粒子径で、静注し多発微小肺梗塞を生じさせることで機能血管である肺動脈の血流分布を画像化します。MAAによって塞栓される小動脈は肺血管床の約1,000分の1で、6〜8時間の生物学的半減期によって網内系に摂取されます。

🌱 3. 検査の実際

体格に合う天板に患児を仰臥位で寝かせて、両手は頭側に挙げます（図7-2）。^{81m}Krガスは^{81}Rb-^{81m}Krジェネレータに0.3〜3L/分の流量で加湿した酸素を流すことで得られ、出力部を鼻カニューラ（施設によってはマスク、咽頭まで挿入した栄養チューブ）に接続し、安静呼吸下に換気分布を撮像します。酸素流量はカウントを見て調整します。対向する検出器で各5分前後、2〜4回（4〜8方向）で撮影を行います。

^{99m}Tc-MAAを静脈注射し、同様に撮像を行います。エネルギーピークの違いを利用した2核種同時収集法を用いることで検査時間が短縮できますが、体動が大きい場合には、正確な画像が得られないことに注意が必要です。

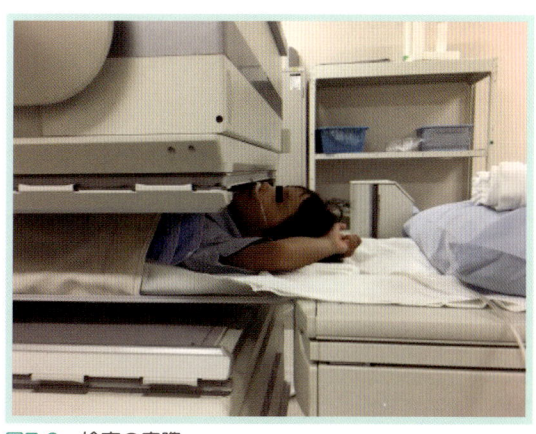

図7-2　検査の実際

第1章　スパイロメトリーとフローボリューム曲線
第2章　気道可逆性検査
第3章　喘息運動負荷検査
第4章　気道過敏性検査
第5章　呼吸抵抗検査（強制オシレーション法）
第6章　呼気中一酸化窒素濃度（FeNO）測定
第7章　肺シンチグラフィ
第8章　睡眠時無呼吸の検査：ポリソムノグラフィと簡易検査
第9章　先天性中枢性低換気症候群（CCHS）の検査

🌱 4. 手技のポイント

(1)放射性薬品投与量

　小児は放射性感受性が成人より高くかつ生殖年齢も長く、放射性薬品投与量は十分に注意する必要があります。2013年に日本核医学会から小児核医学検査施行のコンセンサスガイドラインが発行されており、その適正投与量を遵守して検査を行います。

(2)^{81m}Kr肺換気シンチ撮影時の注意点

　鼻カニューラで投与する際には、可能であれば、鼻から吸って口から出すように指導します。

　患児から呼出されたり、吸入されなかった^{81m}Krが検出面に入ると画像が不鮮明になるため、扇風機やうちわで送風したり、掃除機で吸い込むなどして除去します(図7-3、図7-4)。

図7-3　扇風機で送風する様子

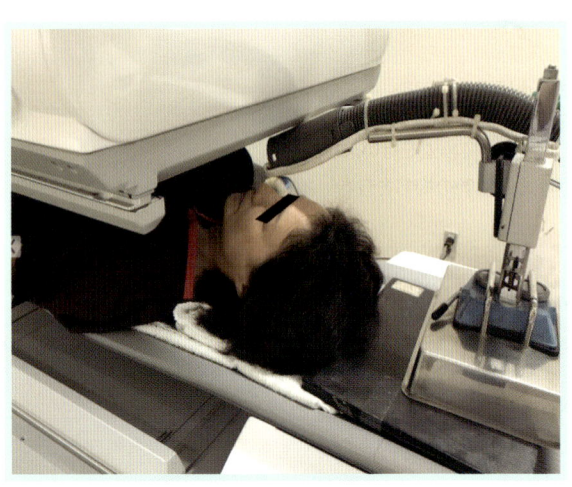

図7-4　掃除機で吸い込む様子

(3)^{99m}Tc-MAA静注時の注意点

　^{99m}Tc-MAAの分布は重力の影響を受けるため、成人では均一な分布を得るため半量背臥位、半量腹臥位で喉頭を開大した状態で静注しますが、小児では困難な場合が多く、一般的に全量背臥位で静注するため読影にあたり注意が必要です。

　また、23G以下の細い注射針で急速静注するとMAAが粉砕、小粒子化して肺毛細血管に人工塞栓が形成されず、大循環に移行してしまいます。小児ではゲージ数の高い細い針を使用することが多く、緩徐に静脈注射するように心がけます。

(4)撮影時のポイント

　鮮明な画像を得るためには検査中の患児の安静を維持することが重要で、体動の抑制を目指した工夫をこらす必要があります。検査時間も短くないため、静脈鎮静で行う施設もありますが、タオルや小児用の抑制帯で検査可能な場合も多く(図7-5)、症例ごとに検討する必要があります。ある程度の理解が得られる年齢では、好みの動画やおもちゃなどにより気を紛らわせ、リラックスさせることも有用です。

　また、検出器との距離が近いほど鮮明な画像が得られるため、体格に合わせた天板を用いることが重要です。新生児など、特に体格が小さい場合には、患児を側臥位で固定して上下方向から撮影することで鮮明な側面像が得られる場合もあります。

第1章 スパイロメトリーとフローボリューム曲線

第2章 気道可逆性検査

第3章 喘息運動負荷検査

第4章 気道過敏性検査

第5章 呼吸抵抗検査（強制オシレーション法）

第6章 呼気中一酸化窒素濃度（FeNO）測定

第7章 肺シンチグラフィ

第8章 睡眠時無呼吸の検査・ポリソムノグラフィと簡易検査

第9章 先天性中枢性低換気症候群（CCHS）の検査

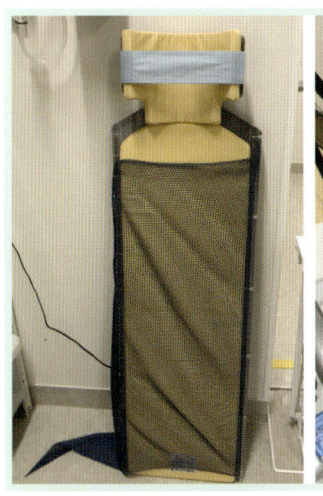
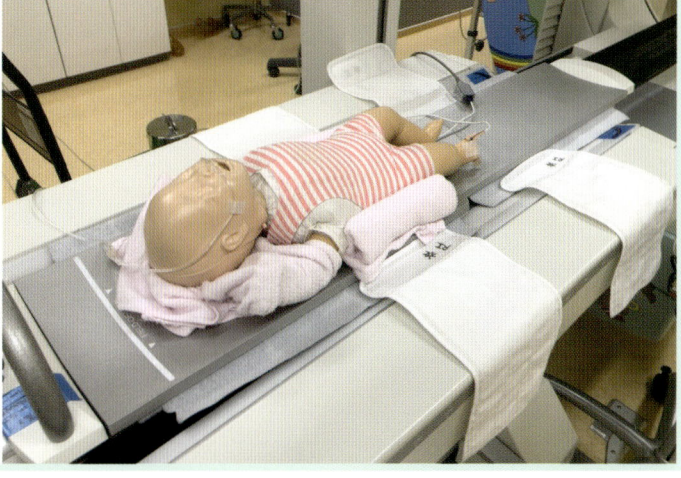

左：小児用の固定帯
右：タオルを用いて両手を頭側に、体幹も側面から固定してベルトで止めて、無鎮静の場合には医療者が用手的に抑制して検査を行います。

図7-5　体動の抑制を目指した工夫

 # 5. 結果の解釈

　換気シンチグラフィと血流シンチグラフィを比較することが重要です。血流に障害があり、換気が保たれる、高換気血流ミスマッチは肺塞栓症、大動脈炎症候群、肺門部肺癌、肺動静脈瘻、先天性のほかに、横隔膜ヘルニア術後、関節リウマチ、肺動脈の無名動脈からの分岐異常、非区域ミスマッチを呈した放射線治療、麻酔時の荷重肺領域の無気肺、ホモシスチン尿症による肺透過性亢進、特発性抹消肺動脈狭窄症などの報告があります。

　換気に障害があり、血流の保たれる低換気血流ミスマッチは気管支喘息発作、気道異物があります。

　以下に正常所見、代表的疾患の所見を示します。

正常所見（5歳女児, 肺炎後）

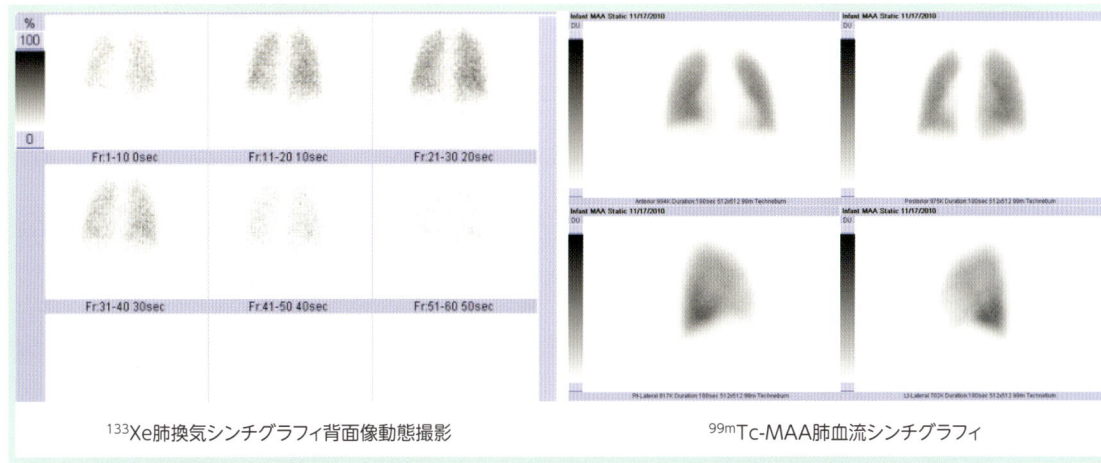

^{133}Xe肺換気シンチグラフィ背面像動態撮影　　　^{99m}Tc-MAA肺血流シンチグラフィ

左：左上から右に10秒ごとの画像を示しています。^{133}Xeでは閉鎖回路を用いて反復呼吸を行い吸入相、平衡想を得たのちに空気による洗い出し相でair trappingを評価することができます。本症例では局所換気異常を示唆する所見はなく、洗い出し遅延も認めません。
右：体位による背側のRI Activityの増加を認めますが、その他に局所血流異常を示唆する所見は認めません。

先天性気管支閉鎖

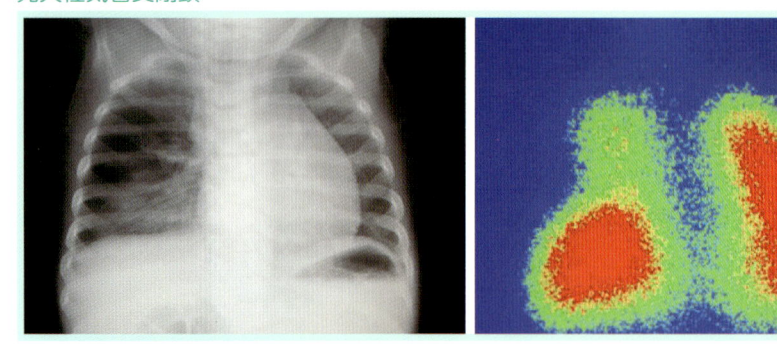

胸部X線写真で右上肺野の透過性が亢進しており、^{81m}Kr肺換気シンチグラフィで右上肺野の放射性同位元素(RI)activity低下を認めます。

マイコプラズマ肺炎後Swyer-James症候群(6歳男児)

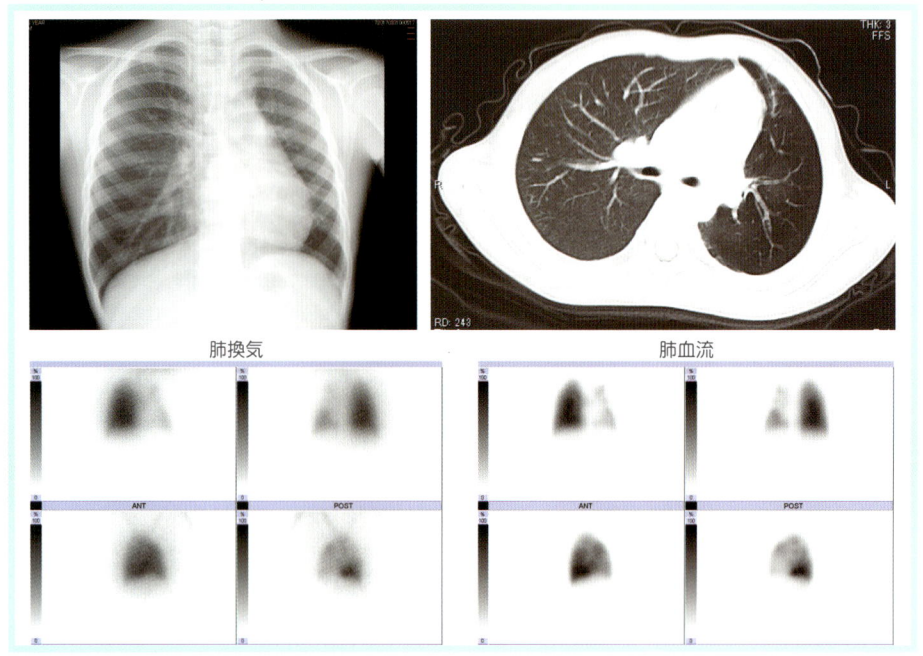

5歳時に重症マイコプラズマ肺炎に罹患しました。2か月後から胸部聴診で左呼吸音減弱が認められました。胸部X線写真で左肺野の血管影減弱、胸部CTで左肺野の透過性亢進、血管影減弱が認められます。肺シンチグラフィ(下段 左:^{133}Xe肺換気シンチグラフィ, 右:^{99m}Tc-MAA肺血流シンチグラフィ)では左肺、特に上葉舌区で換気・血流の著しい低下が認められました。

右肺低形成

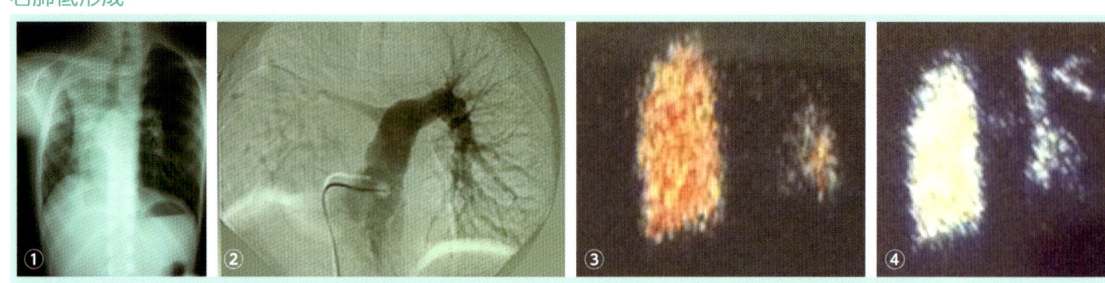

①：胸部X線写真では縦隔の右方偏位と胸郭の左右差を認めます。
②：心臓カテーテル検査で右肺動脈上葉枝欠損、中下葉枝の低形成が認められます。
^{133}Xe肺換気シンチグラフィ(③)、^{99m}Tc-MAA肺血流シンチグラフィ(④)背面像では、換気血流ともに右上肺野で欠損、中下肺野で著明に低下していました。
検査結果から右肺はほぼ無機能と考え、繰り返す喀血に対して右肺切除術を施行しました。

第1章
スパイロメトリーと
フローボリューム曲線

第2章
気道可逆性検査

第3章
喘息運動負荷検査

第4章
気道過敏性検査

第5章
呼吸抵抗検査
（強制オシレーション法）

第6章
呼気中一酸化窒素
濃度（FeNO）測定

第7章
肺シンチグラフィ

第8章
睡眠時無呼吸の検査・
ポリソムノグラフィと簡易検査

第9章
先天性中枢性低換気
症候群（CCHS）の検査

左横隔膜ヘルニア術後

胸部単純X線写真の推移

0歳	4歳	8歳

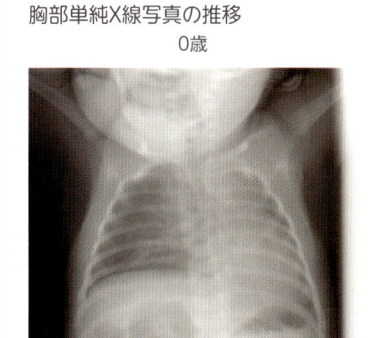 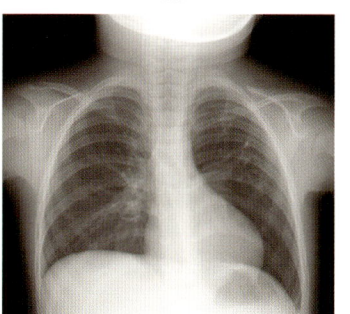 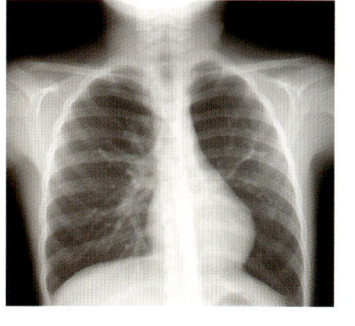

^{133}Xe肺換気シンチグラフィと^{99m}Tc-MAA肺血流シンチグラフィの推移

肺換気	肺血流

0歳

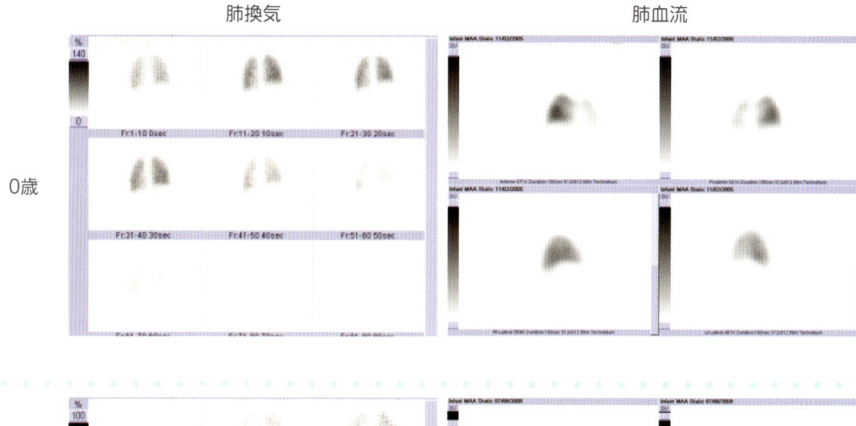

4歳

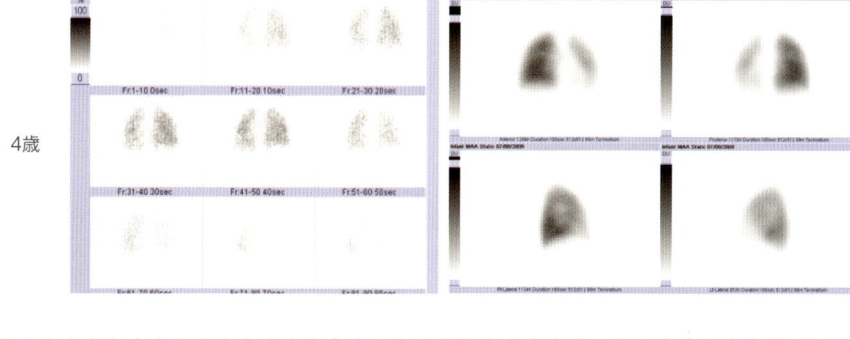

8歳

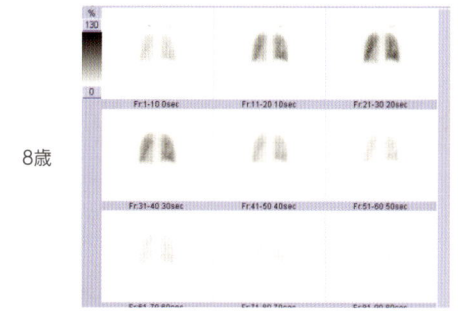 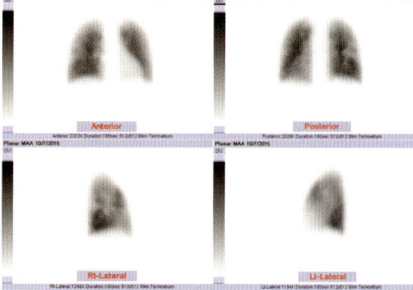

胸部X線写真で4歳時には左肺の拡張は良好です。シンチグラフィでは継時的な左肺の換気障害の改善に比べて、左肺の血流障害は遷延していることがわかります。このように肺シンチグラフィでは乳児期から思春期にかけて同じ検査での経過観察が可能です。

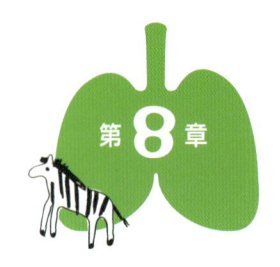

第8章 睡眠時無呼吸の検査：ポリソムノグラフィと簡易検査

🌱 1. 検査の目的と適応

ポリソムノグラフィ(polysomnography：フルPSG)とは「poly＝多くの、somno＝睡眠の、graphy＝記録」に示される通り、睡眠時のさまざまな生体信号を記録するセンサーの集合体であり、脳波、眼電図、呼気(気流と温度)、顎筋の筋電図、胸・腹部の呼吸運動、動脈血酸素飽和度、心電図、前脛骨筋の筋電図などを終夜にわたり記録することが可能な検査です(図8-1)。

したがって、フルPSGは、睡眠時のさまざまな生体現象を評価することが可能であり、**閉塞性睡眠時無呼吸(obstructive sleep disorder, OSA)をはじめとする睡眠呼吸障害(sleep disordered breathing,** SDB)のみならず、不眠症や過眠症、睡眠時随伴症、周期性四肢運動障害、むずむず脚症候群など、あらゆる睡眠障害に対する検査のゴールドスタンダードであるといわれています。一方で、OSAに対しては、重症度評価において最も優れた検査であるといえますが、閉塞部位の診断をすることはできません。近年は、PSGを構成する検査装置の中からSDBを評価する際に必要なセンサーのみで構成された検査機器を用いての「簡易検査」も盛んに行われるようになってきました(図8-2)。被験者の年齢や発達、性格などに合わせて適切な検査を選択することが重要です(表8-1)。

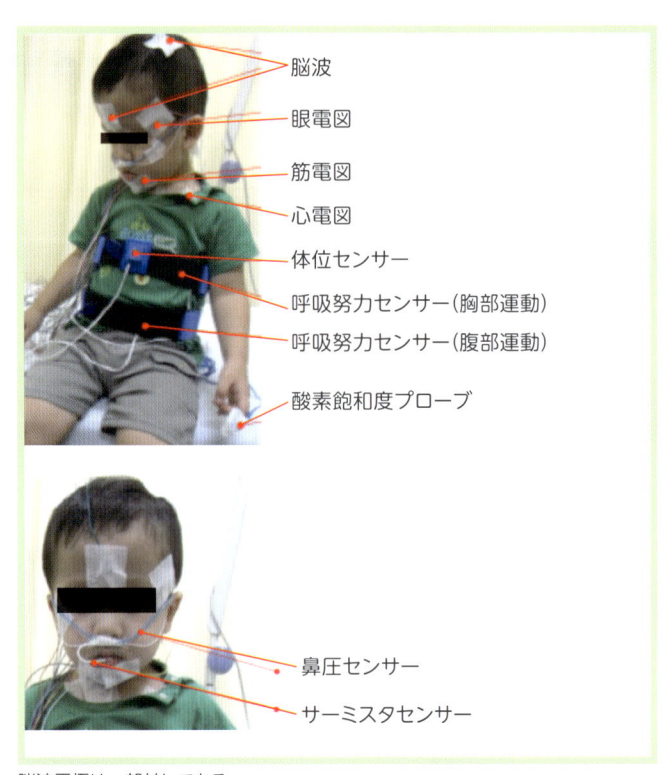

脳波電極は一部外してある。
図8-1　ポリソムノグラフィ装着の一例

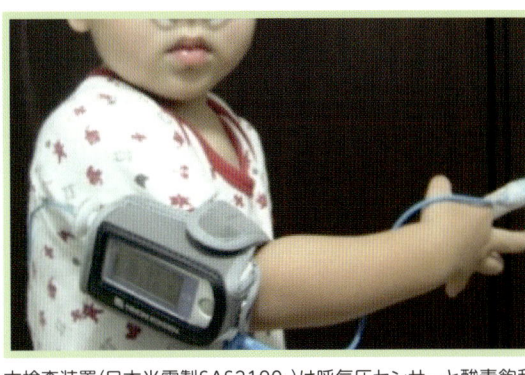

本検査装置（日本光電製SAS2100）は呼気圧センサーと酸素飽和度モニターから構成され、年少児でも比較的検査を行いやすい。簡易検査装置にはさまざまなタイプがあり、胸・腹式呼吸のセンサーを搭載し、中枢性イベントと、閉塞性イベントを区別できる装置もあります。

図8-2　簡易検査装着の一例

表8-1　ポリソムノグラフィ（フルPSG）と簡易検査の特徴

フルPSG	簡易検査
検査機器が高価	検査機器はPSGに比べ安価
検査の際は入院が必要	在宅でも検査可能
患者協力の必要性が高い	患者協力の必要性は低い
装着には経験と習熟が必要	誰にでも装着可能
センサーの装着に時間がかかる（30分程度）	短時間で装着可能（数分）
AHIの測定が可能	REIとしての簡易的評価
SA以外の睡眠障害も診断可能	SAのみに対応
睡眠時間を判定可能	睡眠時間は判定できない
睡眠ステージを判定可能	睡眠ステージは判定できない

AHI：無呼吸低呼吸指数
REI：呼吸イベント指数
SA：睡眠時無呼吸

🌱 2. 検査の準備

フルPSGを行う場合と簡易検査を行う場合とでは、使用する検査機器が異なるため、必要な準備も異なります。フルPSGは図8-3のような検査機器を被験者のベッドサイドに準備して検査を行うため、入院して検査を行うことが前提となります。患者協力の得られにくい年少児にフルPSGを行う場合は、脳波や筋電図、呼吸センサーを短時間で手際よく装着できるように、あらかじめリムーバーやペースト、センサー固定用のテープなどを準備しておくと便利です。

簡易検査の準備としては呼気圧センサーとパルスオキシメーターの装着がメインとなります。被験者が協力の得られにくい年少児の場合、呼気圧センサーの装着を嫌がられたり、装着しても朝までに外れたり、ずれたりすることが問題となります。

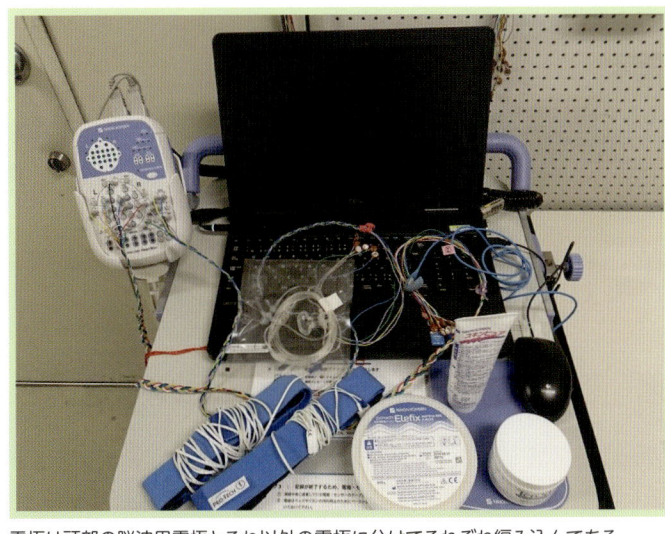

電極は頭部の脳波用電極とそれ以外の電極に分けてそれぞれ編み込んである。
図8-3　ポリソムノグラフィ検査機器とセンサー類の一例

第1章　スパイロメトリーとフローボリューム曲線

第2章　気道可逆性検査

第3章　喘息運動負荷検査

第4章　気道過敏性検査

第5章　呼吸抵抗検査（強制オシレーション法）

第6章　呼気中一酸化窒素濃度（FeNO）測定

第7章　肺シンチグラフィ

第8章　睡眠時無呼吸の検査：ポリソムノグラフィと簡易検査

第9章　先天性中枢性低換気症候群（CCHS）の検査

図8-4　ポリソムノグラフィ装着時の工夫

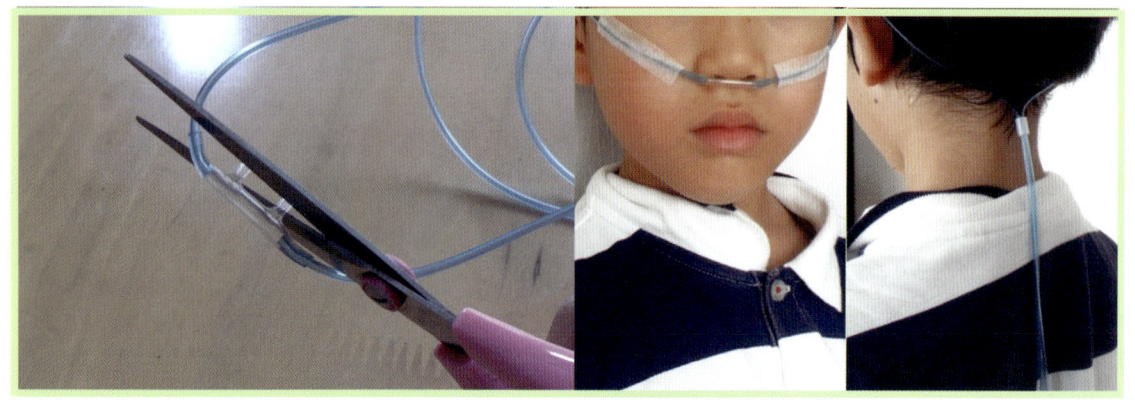

左：鼻孔用カニューラが長くて刺激になる場合は先端をカットすると鼻孔の違和感が軽減する。
中：カニューラがずれないようにテープで固定する。
右：首に絡まないように耳介上部に引っかけ後頸部でも固定する。

呼気圧センサーの装着を嫌がられる場合には図8-4のようにカニューラの先端をカットすると鼻腔の違和感が改善される場合もあります。だだし、この際はカニューラがずれやすくなるので、しっかりとテープで固定することが重要です。

3. 手技の実際

フルPSGでは脳波、筋電図、心電図などの電極類の装着と、呼気圧センサー、サーミスタ、胸腹部の呼吸運動モニター、酸素飽和度プローブなどの呼吸センサーの装着が必要です。順番としては電極類の装着を行った後に呼吸センサーを装着するほうがスムーズです。電極類の装着の際には多くの電極コードが絡まってしまわないように、あらかじめ図8-5のように編み込んでおくと便利です。

その際には同色の電極コードは使用しないほうが、電極装着終了後のインピーダンス確認の際に混乱しません。また、通常の脳波測定と異なり、終夜にわたり電極を装着するため、ペーストは熱により溶けにくいものを選択し、電極の保護にはネットタイプよりも弾性包帯を選択するほうが検査の成功率が上昇します。

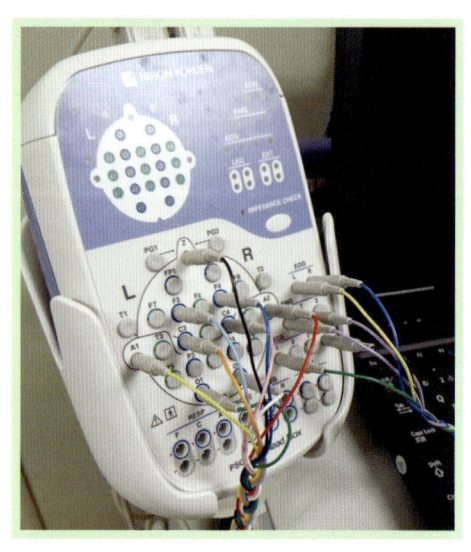

脳波電極は左右の色を同色にしない方がインピーダンス確認の際に便利である。
図8-5　電極コードを編み込んでまとめた状態

第1章 スパイロメトリーとフローボリューム曲線

第2章 気道可逆性検査

第3章 喘息運動負荷検査

第4章 気道過敏性検査

第5章 呼吸抵抗検査（強制オシレーション法）

第6章 呼気中一酸化窒素濃度（FeNO）測定

第7章 肺シンチグラフィ

第8章 睡眠時無呼吸の検査：ポリソムノグラフィと簡易検査

第9章 先天性中枢性低換気症候群（CCHS）の検査

🌱 4. 手技のポイント

検査技師が一晩中アテンドしてフルPSGを行うことが可能な施設は少ないのが現状です。検査技師が装着しても、翌朝までに、せっかく装着した電極やセンサーが外れてしまうと、正しい検査結果が得られなくなってしまう場合があります。寝相の悪いOSA小児を対象としたフルPSGを成功させるポイントは、電極やセンサーが朝まで外れないように、しっかり、正しく装着することにかかっています。中でも、呼気圧センサー、サーミスタ（呼気温度センサー）、胸腹の呼吸運動センサー、パルスオキシメーターの4つのセンサーは何としても検査が終了する朝まで装着しておきたいセンサーです。

脳波・筋電図は図8-6のように、あらかじめ電極コードを結束してまとめておくと、装着時に便利であり、コードが被検児に絡まって外れることの防止策となります。呼気圧センサーとサーミスタは鼻孔からずれないようにしっかりとテープで固定しましょう。

パルスオキシメーターのプローブも朝まで外れないようにテープで固定することが重要です。ただし、あまり強く巻き過ぎると、血流障害や痛み、センシング不良などの原因となりますので注意してください。装着は被検児に座位を取らせて行うとスムーズです。

検査当日のお昼寝は禁止にして、センサー装着中からウトウトし出すくらいが理想的です。また、センサーの装着前に夕食や着替え、トイレなどを済ませておくことも重要です。

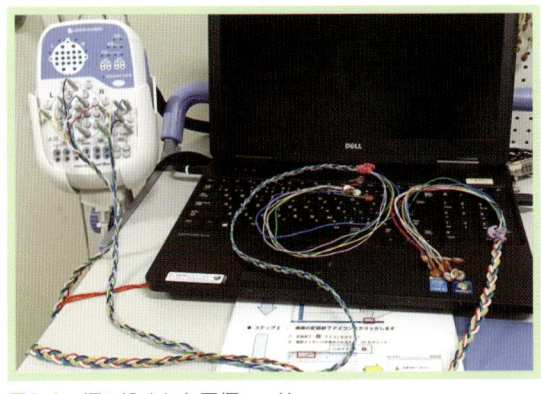

図8-6　編み込まれた電極コード

5. 結果の解釈

フルPSGと簡易検査では得られる情報が大きく異なります。フルPSGでは、睡眠に関するさまざまなデータが得られ、呼吸状態のみならず、睡眠の質まで評価することが可能になりますが、本書では睡眠時の呼吸状態を評価するのに必要なデータのみを解説します。

OSAの重症度評価において最も重要となるのは無呼吸指数（apnea index, AI）、低呼吸指数（hypopnea index, HI）、無呼吸低呼吸指数（apnea hypopnea index, AHI）です。これらの指標は睡眠「1時間あたり」の呼吸イベント数で評価します。AIは睡眠1時間あたりの無呼吸イベント数、HIは睡眠1時間あたりの低

呼吸イベント数、AHIはAIとHIの合計です。

無呼吸イベントと低呼吸イベントをどのように判定するかというと、無呼吸イベントは、サーミスタによる呼吸振幅が通常呼吸時の振幅に比べて90％以上低下した場合、低呼吸イベントは呼気圧センサーによる呼吸振幅が通常呼吸時の振幅に比べ30％以上低下し、3％以上の酸素飽和度の低下もしくは覚醒反応が認められた場合とされています〔American Academy of Sleep Medicine（AASM）2007年 Ver2の基準〕。

ここで重要なのは、これらのイベントの持続時間です。成人では10秒間とされていますが、小児の基準で

は「通常呼吸の2呼吸分」とされています。成人と異なり、症例により呼吸イベントの持続時間が異なりますので注意が必要です。当然のことながら、小児は成人に比べて呼吸数が多いため、イベント持続時間は短くなります。

OSAの重症度を評価する指標として、他に酸素飽和度に関するパラメーターがあります。これはフルPSGと簡易検査共通の指標となりますが、最低酸素飽和度、CT90%（cumulative percentage time spent at SpO_2 below 90%）などが重要です。前者は全睡眠時間中に最も低下した酸素飽和度を示し、後者は酸素飽和度が90%以下となっていた時間が全睡眠時間に対してどのくらいあったかの割合を示します。また、フルPSGや一部の簡易検査装置では、無呼吸イベントをその機序により閉塞性と中枢性に分けて測定することが可能です。

小児OSAの原因の多くはアデノイド増殖、口蓋扁桃肥大であり、これらの症例における治療の第一選択はアデノイド切除口蓋扁桃摘出術（adenotonsillectomy, AT）となります。したがって、臨床的にはOSAの重症度とAT適応が重要となりますが、残念ながらAHIやこれらの酸素飽和度パラメーターに関する重症度分類のガイドラインは存在しません。

表8-2にAHIによる小児OSAの重症度と治療方針に対する本書の私案を示しました。簡易検査により得られるデータはフルPSGに比べよりシンプルです。簡易検査でも呼吸イベントをAASMの基準に従って測定するのが理想ですが、覚醒反応やサーミスタによる呼吸モニターができない点などからフルPSGに比べ精度は低下します。さらに、脳波を測定しないため、データ解析者には正確な入眠時間と覚醒時間が判定できず、全睡眠時間が測定できません。機器に記録されているデータをそのまま全睡眠時間として解析してしまうと、脳波上の睡眠時間よりも長くなってしまい、時間あたりの呼吸イベント数が過小評価となってしまうことにも注意が必要です。これらの理由により簡易検査で得られる睡眠呼吸イベント指数はフルPSGにおけるAHIと同等とはせず、呼吸イベント指数（respiratory event index, REI）と表現することになっています。

REIの判定基準は現時点で定まったものはありません。

表8-2　無呼吸低呼吸指数による重症度分類と治療方針

PSG所見	重症度	治療方針
AHI<3	正常	1年間の経過観察
3≦AHI<5	軽症	保存療法
5≦AHI<10	中等症	ATの適応
10≦AHI	重症	ATの適応

PSG：ポリソムノグラフィ, AHI：無呼吸低呼吸指数,
AT：アデノイド切除口蓋扁桃摘出術
無呼吸低呼吸指数（AHI）による統一された治療基準は存在しないがAHI≧5またはAHI≧10を手術適応としている施設が多いようである。著者の考えるAHIの重症度分類と各重症度のおける治療方針を一例として示す。しかし治療適応は単にAHIのみで判断せず、年齢や臨床症状、画像所見などにより総合的に判断することが望ましいと考える。

6. 患者指導のポイント

検査前に「針を刺すなどの痛みを伴う検査ではないこと」を被検児と保護者に伝え、装着例の写真などをあらかじめ見せておくことで、検査に対する不安を軽減させることができますので、被検児本人自身に検査を行うことを納得させておくことがポイントです。また、フルPSGの当日は検査開始までは昼寝をさせずに、センサー装着中にウトウトするくらいのほうが装着はスムーズに進みます。その際に抱水クロラールなどの鎮静薬を使用することは、検査の結果に影響を与えるばかりでなく、OSA症状を増悪させ、予期せぬ呼吸障害を招く場合もあり、非常に危険ですので鎮静薬は使用しないでください。

装着中は、男の子には「これ付けるとかっこいいよ！」「変身できるよ！」などと声かけをしながらセンサーを装着すると、本人もその気になって装着に協力が得られやすくなる場合もありますが、女の子の場合は包帯やネットで頭が覆われた自分の姿にショックを受けたり、その姿を人に見られたりすることで恥ずかしい思いをする場合もあるので配慮が必要です。

センサーや電極を装着し終わるまでは、座位でじっ

としていてもらうために、スマートフォンやゲームなどを持参して、お気に入りの動画を見せたり、ゲームをさせたりしながら装着すると被験児も飽きずに装着がスムーズに進みます。

🌱 7. 機器のメンテナンスの方法

以前のフルPSGでは脳波、筋電図を終夜にわたり記録用紙に記録していたそうですが、現在はデータをパソコンに記録することが可能なため、膨大な量の記録用紙とインクのメンテナンスは不要となりました。一方で、パソコンのメンテナンスを怠るとパソコンが起動できずに検査ができなくなったり、データが消えてしまったりするなどのトラブルの原因となりますのでパソコンの管理が重要となります。

また、酸素飽和度モニターのプローブやサーミスタはディスポ（使い捨て）ではなくリユースする機種が多いので、断線や接触不良などで検査当日に慌てないよう、検査終了ごとに洗浄と点検を怠らず、常にベストの状態で検査に備えましょう。

検査終了後は脳波や筋電図などの電極は流水でペーストをしっかりと洗い流し、乾かしておきましょう。呼気圧センサーなどの消耗品は定数管理を心がけましょう。また、簡易検査は、電池で作動する機種が多いので、検査前に電池の残量を確認しておきましょう。

🌱 8. 感染対策

PSGでは多くのセンサーや電極が直接患者の身体に接触します。特にフルPSGでは脳波などの電極と、サーミスタ、酸素飽和度プローブなどはリユースである機種が多いので、検査終了後に電極のペーストをお湯で除去し、アルコール消毒する必要があります。呼気サーミスタはセンサーの先端が鼻孔に入るため、検査終了後にしっかり消毒して清潔な状態を保つことが重要です。

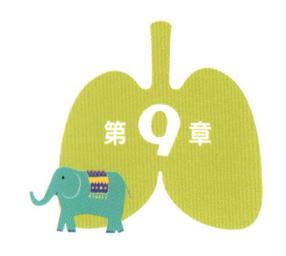

第9章 先天性中枢性低換気症候群（CCHS）の検査

先天性中枢性低換気症候群（congenital central hypoventilation syndrome, CCHS）は、呼吸中枢の先天的な異常によって、高二酸化炭素血症や低酸素血症に対する呼吸賦活が障害され低換気を生じる疾患です。

主に睡眠時に、重症例では覚醒時にも低換気を認めるため、生涯にわたって人工呼吸管理が必要です。

CCHSは、図9-1に示す診断フローチャートに則って診断をします。CCHSを疑わせる病歴を認める場合は、本稿の検査を行い、その結果から遺伝子検査へと進みます。

また、診断確定後の呼吸管理は、図9-2に示す3つの項目を網羅的に評価することが適切な管理に重要です。

この項では、CCHSを診断、管理していく上で必要である呼吸中枢の検査として炭酸ガス換気応答試験、換気状態を評価する検査として換気モニタリングについて解説します。

また、これらの検査を活用できるCCHS以外の病態や疾患、その評価についても概説します。これらの検査はやや専門性の高いものですので、結果の解釈については、判断に迷うことがあれば専門医に相談することも考慮してください。

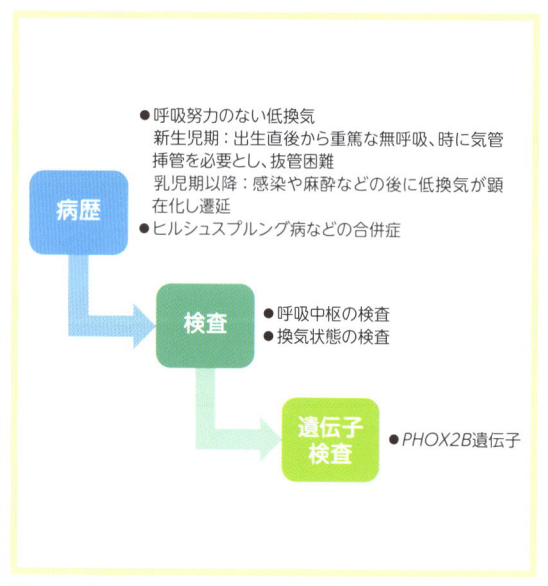

図9-1 先天性中枢性低換気症候群の診断フローチャート

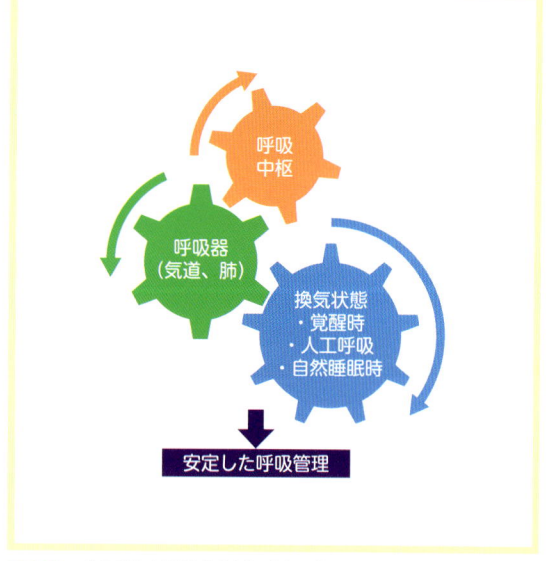

図9-2 先天性中枢性低換気症候群の呼吸管理のポイント

🌱 1. 検査の目的と適応

第1章 スパイロメトリーとフローボリューム曲線
第2章 気道可逆性検査
第3章 喘息運動負荷検査
第4章 気道過敏性検査
第5章 呼吸抵抗検査（強制オシレーション法）
第6章 呼気中一酸化窒素濃度（FeNO）測定
第7章 肺シンチグラフィ
第8章 睡眠時無呼吸の検査：ポリソムノグラフィと簡易検査
第9章 先天性中枢性低換気症候群（CCHS）の検査

(1) 呼吸中枢の検査：炭酸ガス換気応答試験（ventilatory response to CO_2, $VRCO_2$）（図9-3）

　呼吸中枢の換気応答（血中二酸化炭素濃度上昇に対して換気量を増やす反応）を評価するために行います。閉鎖回路内で二酸化炭素を再呼吸して血中二酸化炭素濃度を上昇させて、その間にどのくらい分時換気量が増えたかを測定し、呼吸中枢の反応を定量的に評価します。

　CCHS以外にも、呼吸中枢が関与している病態の評価に用いることができるため、無呼吸発作（乳児の感染症などによるものを含む）、神経筋疾患、呼吸管理が必要な重症心身障害児などの病態の評価を行うことができます。

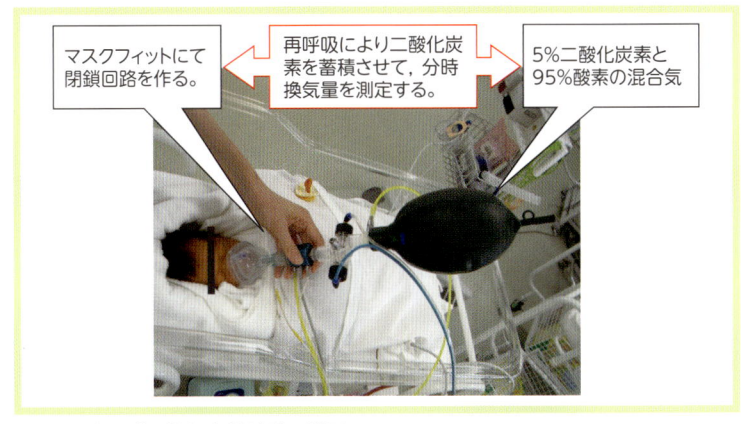

マスクフィットにて閉鎖回路を作る。

再呼吸により二酸化炭素を蓄積させて，分時換気量を測定する。

5%二酸化炭素と95%酸素の混合気

図9-3　炭酸ガス換気応答試験の様子

(2) 換気状態の検査：換気モニタリング（SpO_2, $TcPCO_2$または$EtCO_2$モニタリング）

　換気モニタリングとは、血中酸素濃度、二酸化炭素濃度を非侵襲的、連続的にモニタリングすることを指します。

　CCHSの低換気は、血中二酸化炭素濃度が上昇しても呼吸賦活が生じず、著明な高二酸化炭素血症が遷延するという特徴があります。また、CCHSは自発呼吸が弱く、呼吸管理中は人工呼吸器にほとんど同調します。

　そして、CCHSの重症例は覚醒時にも低換気を認めます。この覚醒時低換気は、CCHSには呼吸苦がないことから自覚症状に乏しく、身体所見などからも判断は容易ではありません。

　以上のことから、①CCHSの診断時には特徴的な低換気を再現するために、診断後には、②呼吸器設定などの管理法決定のために、そして、③覚醒時の低換気の有無を調べるために、換気状態のモニタリングが必須です。

　CCHS以外の児でも、在宅人工呼吸管理を行っている場合には換気モニタリングを行うことが推奨されます。さらに、呼吸管理を行っていない時間帯にモニタリングを行うことで、呼吸管理の必要性が生じていないかなどについても評価することができます。

🌱 2. 検査の準備

(1) 炭酸ガス換気応答試験（VRCO₂）

VRCO₂測定のオプションがついている呼吸機能測定装置ARFEL Ⅲ(図9-4)で行います。呼吸中枢の反応のみを評価するために、乳幼児は睡眠時に行います。乳幼児は覚醒時に測定回路(図9-5)が近づいてくると、恐怖や興味から安静呼吸になりません。このようなときは、大脳からの随意的な呼吸が追加されるため呼吸中枢のみの評価を行うことができません。同様に、鎮静薬は呼吸中枢を抑制して正確な評価にならないので、自然睡眠で検査します。スパイログラムと同様に、ある程度の従命ができて、落ち着いて閉鎖回路を装着できる幼児期以降には覚醒時に検査することもできます。

検査に必要な物品 （図9-6）

> 乳幼児：口鼻マスク、幼児以降：マウスピース、ノーズクリップ、気管切開をしている児：L字コネクタなど

乳幼児の睡眠時に検査をするときは、睡眠時に閉鎖回路に口鼻マスクをつけたものを装着します。気管切開をしている児のときには、気管切開チューブに装着できるようにL字コネクタなどを使用します。幼児以降で覚醒時に検査するときには、マウスピース、ノーズクリップを使用します。

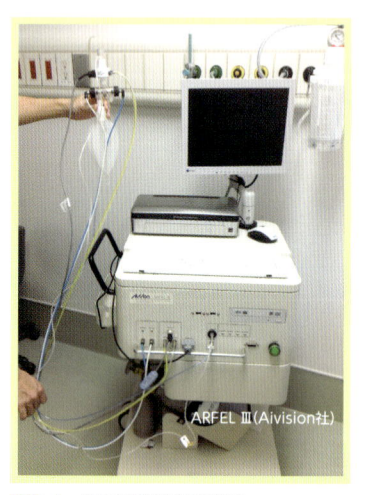

図9-4　呼吸機能測定装置

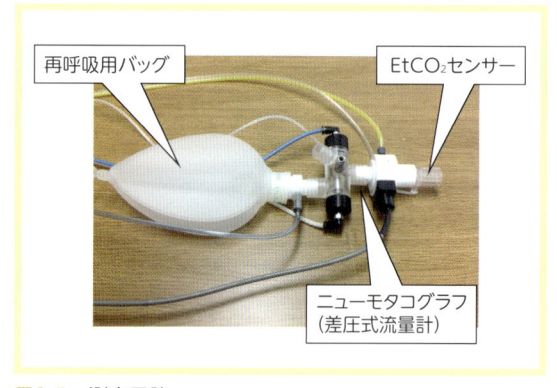

図9-5　測定回路

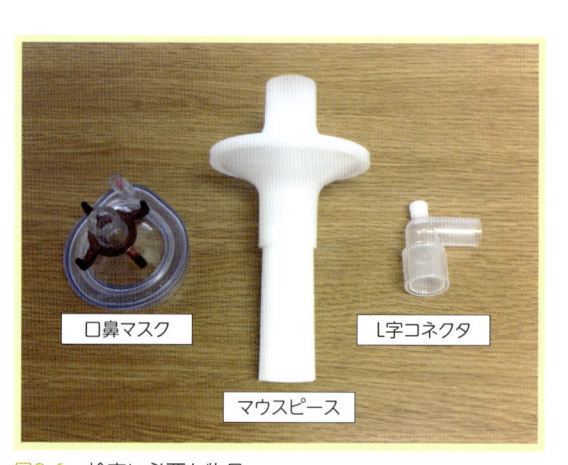

図9-6　検査に必要な物品

(2)換気モニタリング（図9-7, 図9-8）

睡眠時のモニタリングはSpO₂とTcPCO₂が測定できる機器で行うことを推奨します。EtCO₂はBiPAP（biphasic positive airway pressure）などで呼吸管理している際には、呼吸器回路にセンサーを挿入するのは容易ではありません。気管切開をしている児は、回路にEtCO₂センサーの挿入が可能ですので測定が有用なことがありますが、リークが多いために正確な評価ができないことが少なくありません。また、SpO₂のセンサーも装着する必要があります。

一方、覚醒時の低換気がないかをモニタリングする際に、経皮センサーを嫌がって装着できない場合がありますが、気管切開をしている児であれば、このときはEtCO₂の測定が有用です。覚醒時の自発呼吸がある場合には、リークが減ることが多いです。

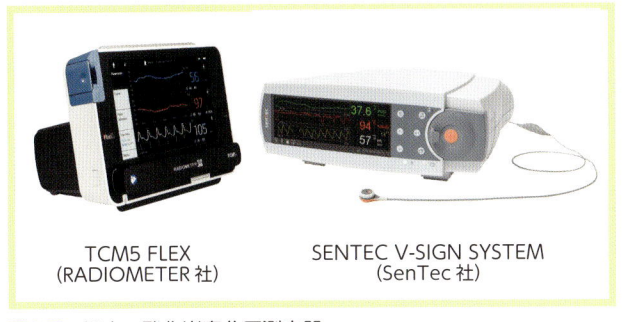

TCM5 FLEX
(RADIOMETER 社)

SENTEC V-SIGN SYSTEM
(SenTec 社)

図9-7　経皮二酸化炭素分圧測定器

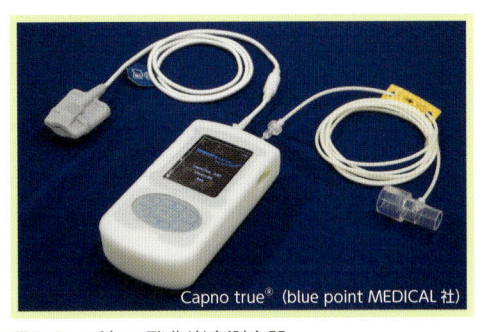

Capno true® (blue point MEDICAL 社)

図9-8　呼気二酸化炭素測定器

🌱 3. 手技の実際とポイント

(1)炭酸ガス換気応答試験（VRCO₂）

器械のインストラクションに従い身長、体重などを入力し、バッグ内にガスを充満させます。このバッグ内のガスを再呼吸するため、ガスの量が多いと血中二酸化炭素濃度上昇に時間がかかり検査時間が長くかかってしまい、量が少ないと検査後半に換気量が増加したときに吸いきれないため不正確な検査結果になってしまいます。

乳児、または安静を保てない幼児に行う睡眠時の検査では、目が覚めてしまわないようにセッティングのときからなるべく音を出さないこと、マスクを優しくかつリークのないように確実にフィットさせることなどがポイントです（図9-3）。

気管切開をしている児では、閉鎖回路を直接気管切開チューブに接続すると刺激で目が覚めてしまう場合があるため、人工呼吸器回路の蛇腹などに接続すると眠ったままで検査できます（図9-9）。

幼児以降で覚醒時に行う場合は、座位をとり、マウスピースをくわえさせます。その際は「ぼーっとしてい

てね」、「目をつむって何も考えなくていいよ」などの声かけをして、なるべく無意識に呼吸をさせるようにします（図9-10）。何もしていないと気が散ってしまう児の場合には、絵本の読み聞かせやテレビなどの動画を見せるなどが有効です。

検査が始まると、モニター上に呼吸ごとの、end tidal CO₂（EtCO₂）、tidal volume（TV）、minuets volume（MV）、respiratory rate（RR）などの呼吸パラメーターが記録されます（図9-11）。通常は、EtCO₂が上がるにつれて努力呼吸が生じます。EtCO₂が5%

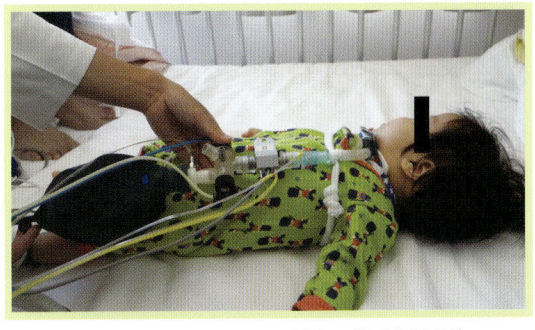

図9-9　気管切開をしている児の検査の様子（睡眠時）

から7％以上まで上昇する、または開始時の濃度（＞5％以上）から＋2％以上に上昇するまで再呼吸を行います。検査中は、TVの波形を見て、リークが生じていないかを確認します。リークが多いと閉鎖回路が作れないため、$EtCO_2$が上昇しないことや、TVが過小評価になることがあります。検査は個人差がありますがほとんどは数分から5分程度で終了します。

(2)換気モニタリング

経皮センサーは、通常は耳に装着します（図9-12）。センサーをはめるクリップ状の装着リングを耳朶に着けます。装着リングにコンタクトジェルを滴下してセンサーをしっかりはめ込みます。コードは肩や腕にテープで軽く固定して、寝返りなどがあってもセンサーがはずれないようにします。前胸部に装着する方法もありますが、値がやや不安定になりやすいです。

センサーを装着すると測定が開始されます（図9-13）。SpO_2とは異なり、$TcPCO_2$は値が少しずつ上がり、安定するまでに5〜10分程度かかります。測定値が安定してから起きるまでの間、モニタリングを行います。

$TcPCO_2$は血中二酸化炭素濃度に近い値を示しますが、血中よりやや高い値を示すことが多くあります。そのため、血中濃度と比較をするために、モニタリング中に採血して血液ガスを測定することがあります。乳児期前半くらいまでは橈骨動脈などに27Gの直針を刺して血液ガスを採取すれば起こさずにできますが、通常は太い静脈に留置針を眠る前に挿入しておき、逆流採血を行うのが一般的です。採血は必須ではありませんが、想定より高いまたは低い値の時を示す場合

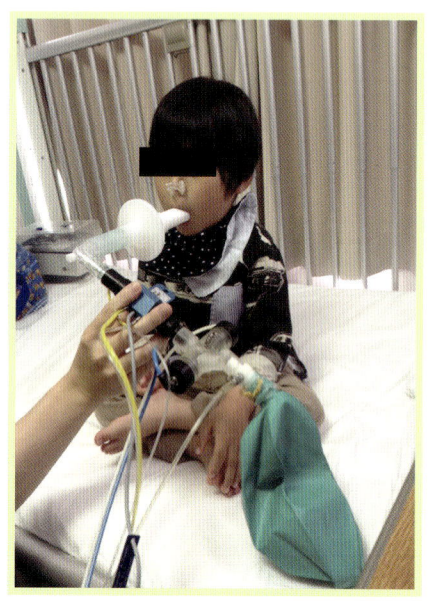

図9-10　幼児以降の検査の様子（覚醒時）

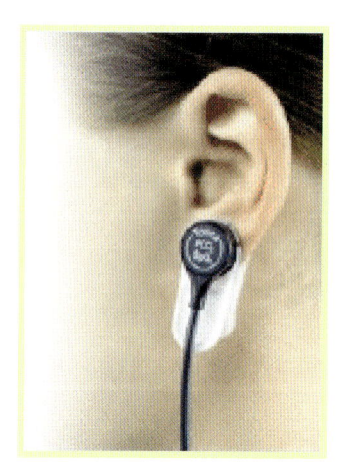

図9-12　経皮センサー装着図

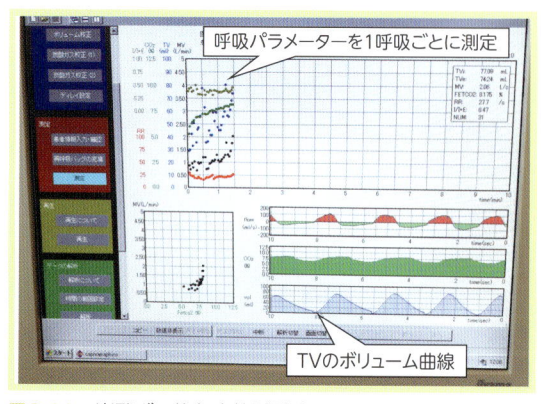

図9-11　炭酸ガス換気応答試験中の画面

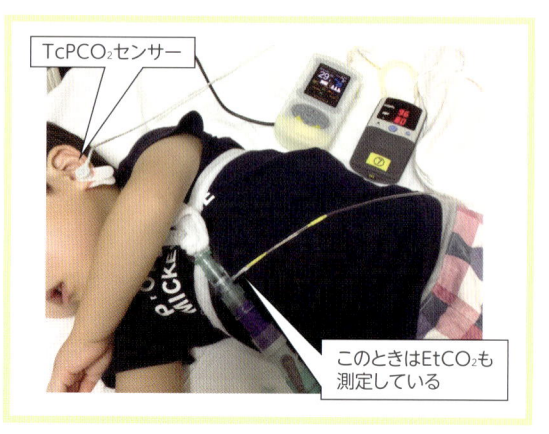

図9-13　睡眠時のモニタリング

第1章
スパイロメトリーと
フローボリューム曲線

第2章
気道可逆性検査

第3章
喘息運動負荷検査

第4章
気道過敏性検査

第5章
呼吸抵抗検査
（強制オシレーション法）

第6章
呼気中一酸化窒素
濃度（FeNO）測定

第7章
肺シンチグラフィ

第8章
睡眠時無呼吸の検査：
ポリソムノグラフィと簡易検査

第9章
先天性中枢性低換気
症候群（CCHS）の検査

は、その数値が真の値かどうかを判断する材料になります。家族が付き添いをしていれば、分かる範囲で寝返りした、おむつを替えたなどの検査中のイベントを記録してもらい、結果の解釈時の参考にします。

①CCHSの診断：覚醒時からモニターを装着して入眠するのを待ち、特徴的な低換気が再現されることをモニターします。このモニタリング中には原則として呼吸器は使用しませんが、SpO_2の低下が大きい際には酸素投与を行います。酸素投与時は二酸化炭素の推移に注目します。また、重篤な低換気が短時間で起こることもありますので、医師の見守りのもとで行います。多くの症例では、入眠すると速やかに特徴的な低換気が再現されて、SpO_2の低下、$TcPCO_2$の上昇が認められるために、入眠前の覚醒時10分程度、入眠後早ければ10分、長くても30分程度、合計40分ほどの連続モニタリングで十分です。

②呼吸器設定の決定：睡眠時に呼吸器を装着している際にモニタリングします（図9-13）。検査時間は可能ならば寝ている間中がよいですが、CCHSは呼吸管理中には呼吸器にほぼ同調するため、2〜3時間くらいモニターできれば最低限の検査ができます。

(3)覚醒時低換気の有無：覚醒時のモニタリング（図9-14）をするときには、好きなテレビ番組や、パズル、塗り絵など、座って集中できる遊びを用意します。この方法であれば、乳児期後半の年少児でもモニタリングできます。検査の準備の項目で解説した通り、経皮センサーを嫌がってしまう児で、気管切開があれば$EtCO_2$で代用することもあります。最低30分以上で、60分程度モニタリングできれば、覚醒時の評価ができたと判断してよいでしょう。

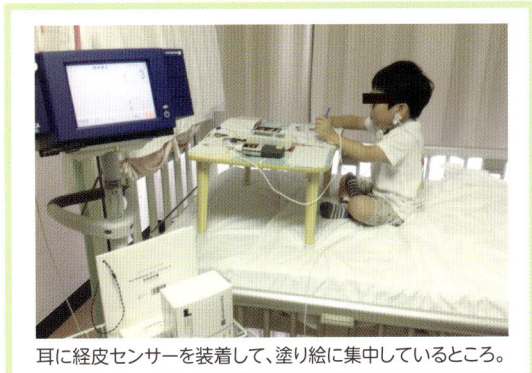

耳に経皮センサーを装着して、塗り絵に集中しているところ。

図9-14　覚醒時のモニタリング

🌱 4. 結果の解釈

(1)炭酸ガス換気応答試験（VRCO2）

　VRCO2は、$EtCO_2$とMVの関係を一次関数に近似して、その傾きから求めていますので、正常児で呼吸中枢の反応がしっかりあれば、この傾きが大きくなります（図9-15）。

$$VRCO_2 = \Delta MV / \Delta EtCO_2 / body\ weight$$

　正常児113例での測定では、正常児の基準値は$40.4 \pm 14.8 mL/分/kg/mmHg$でしたが、CCHSでは反応が障害されているため傾きが著しく小さくなり、CCHS児24例の平均は$3.9 mL/分/kg/mmHg$（最低値0.04、最高値14.9）でした。呼吸中枢の未熟さの残る早産児（33例、修正33.1週）は$27.8 \pm 13.4 mL/分/kg/mmHg$であり、CCHSの呼吸中枢障害が重度であることが分かります。**基礎疾患がなくVRCO2が10未満であればCCHSをより疑う根拠**になります。

　その他の病態では、神経筋疾患、重症心身障害児などで慢性呼吸性アシドーシスを呈している児などは、高二酸化炭素血症に慣れてしまっていて呼吸中枢の反応が鈍くなっているため、VRCO2が低下していることが散見されます。VRCO2が低いということは、無呼吸や低換気を生じ得る危険性、低換気が生じた際にも自力では回復できない可能性があることを意味するため、測定値が低い際には注意が必要です。

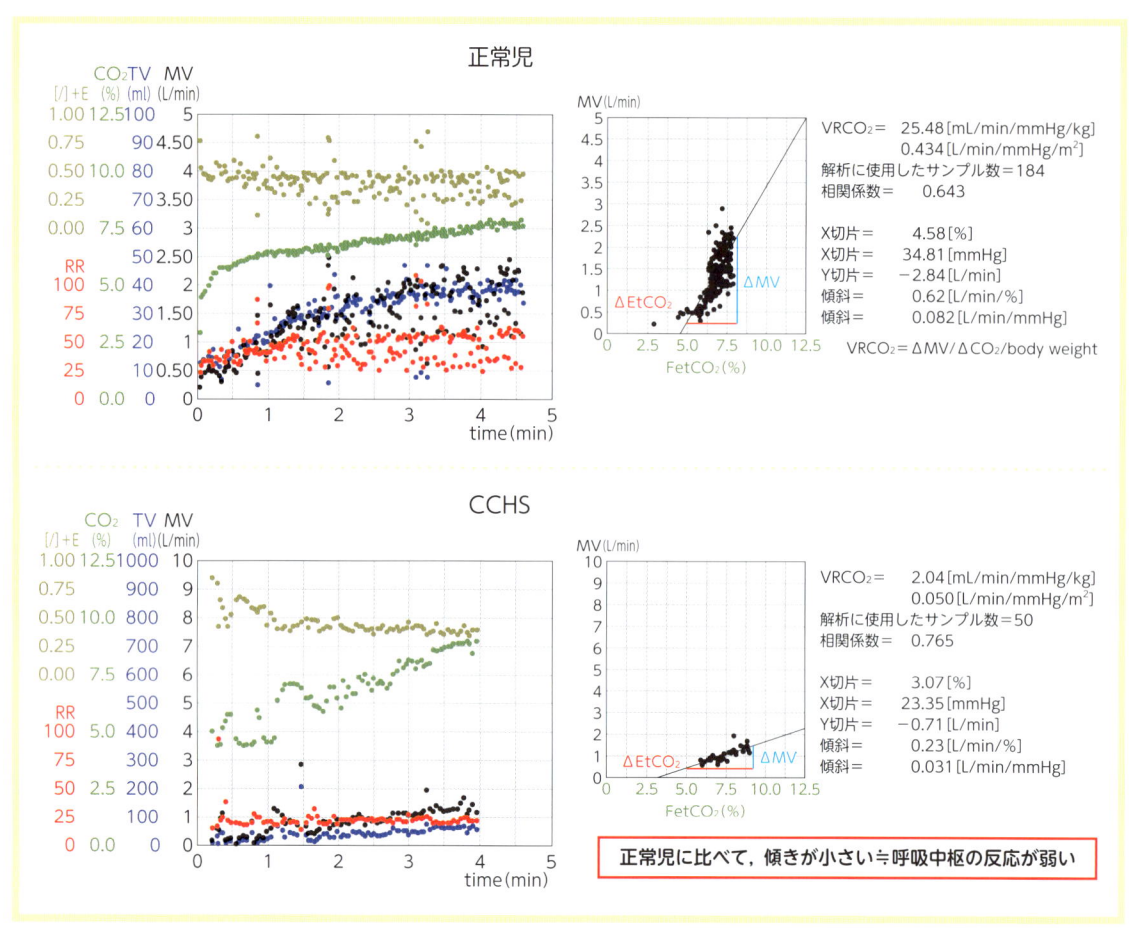

図9-15　モニタリング結果の一例

(2)換気モニタリング

　検査結果は、専用ソフトを用いて解析します。図9-16、図9-17のように、SpO2、TcPCO2のトレンドグラムと各パラメーターの詳細な解析結果が得られます。①CCHSの診断時：CCHSの特徴的な低換気の、睡眠時に高二酸化炭素血症が上昇し、それが遷延していることを確認します。図9-18のように完全な無呼吸にはならないことが多いため、SpO2は上下しますが、EtCO2は多少の動きはあっても基本的には高いままで推移します。前述したように、この間に呼吸努力が生じていない場合は、CCHSが強く疑われます。

　検査は21分間で終了していますが、この症例では十分です。21分で平均SpO2は81.3％、EtCO2は40から60mmHgまで上昇しています。このような典型的な所見が得られた場合は、不必要に長時間低換気にさらさないようにしましょう。この換気モニタリングに脳波や腹部センサーを加え、ポリソムノグラフィに準じた検

査が行われることがありますが、この検査においても同様です。換気モニタリング検査が終了したら、人工呼吸器を装着するなどして低換気から回復させてください。また、軽症のCCHSでは入眠してもSpO2が90％中盤、CO2は45mmHgくらいまでしか上昇しないケースもありますので、この検査は診断を否定できるものではないことに留意してください。

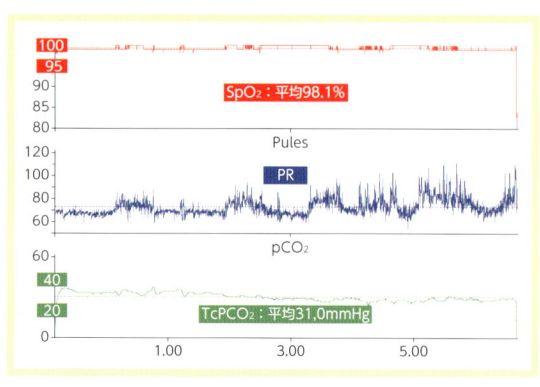

図9-16　睡眠時モニタリング結果

②**呼吸器設定の決定**：SpO$_2$とTcPCO（EtCO$_2$）の平均値をもとに呼吸器設定を調節します。CCHSの呼吸管理は、平均SpO$_2$は96％以上、TcPCO$_2$が平均30mmHg程度までは許容するやや過換気で管理する方法をお勧めします。CCHSでは、自分で呼吸を調整する反応が乏しいため、発熱時や呼吸器感染時により多くの換気量が必要になっても自力では増やせません。そのため、平時の設定が適正な換気量程度であると、すぐに相対的な低換気になってしまいます。

平均以外では急激なSpO$_2$の低下がないかについても確認をします。急激な低下の例としては、体動などによって、マスク換気の場合にはマスクがずれてリークが大きくなる、気管切開の場合には気管切開チューブの向きが変化しリークが増えることがあります。このときに、家族が付けたイベント表が役に立ちます。この基準をもとに呼吸器設定などを調整して、変更後にも再検査をして確認します。

CCHS以外の疾患では一般的には平均SpO$_2$95％以上、平均TcPCO$_2$は35～50mmHg程度を基準にしている施設が多いようです。慢性肺疾患などの肺病変がメインでない疾患の場合には、基本的には酸素は添加せずに適切な換気になるような設定を目指します。

③**覚醒時低換気の有無**：この症例は、覚醒時に低換気を認めます（図9-19）。覚醒時にもかかわらず絵本などに集中していると、SpO$_2$は頻回に80％台に下がり、TcPCO$_2$は平均で49mmHg、最大で55mmHgにまで上昇しています。この結果から、覚醒時にも可能な範囲で呼吸管理を行うことになりました。

17例のCCHSにおいて10例が覚醒時の低換気を認め、そのうち8例が精査時まで覚醒時の低換気を認知されていませんでした。そして、覚醒時の低換気を認める群のほうが、そうでない群より発達遅滞を認めました。CCHS病因遺伝子の*PHOX2B*遺伝子における変異型が、特に26PARM以上の症例では覚醒時の評価が重要です。

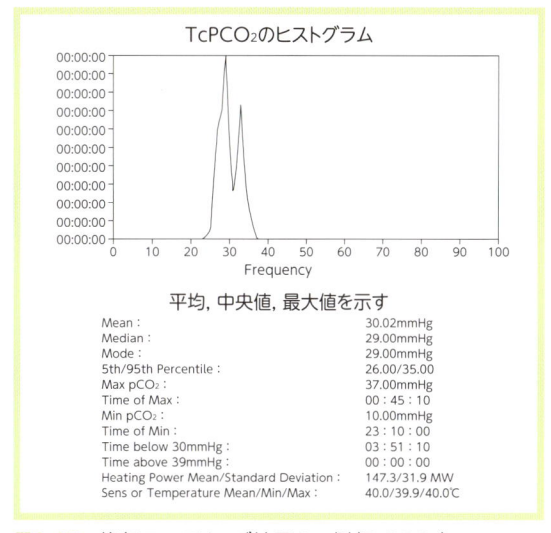

図9-17　換気モニタリング結果の一例（TcPCO$_2$）

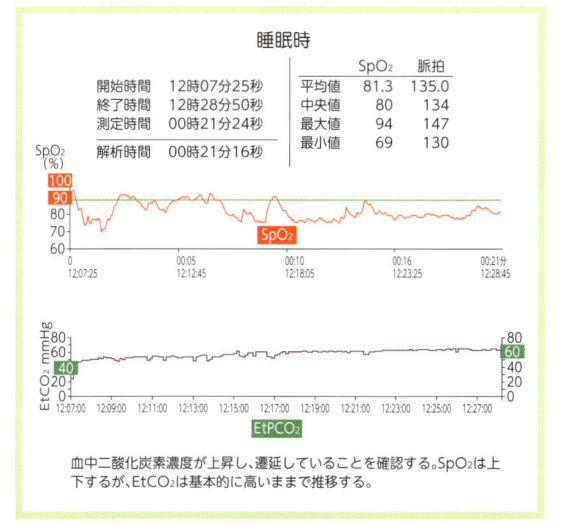

図9-18　CCHSにおける睡眠時（呼吸器なし）モニタリング

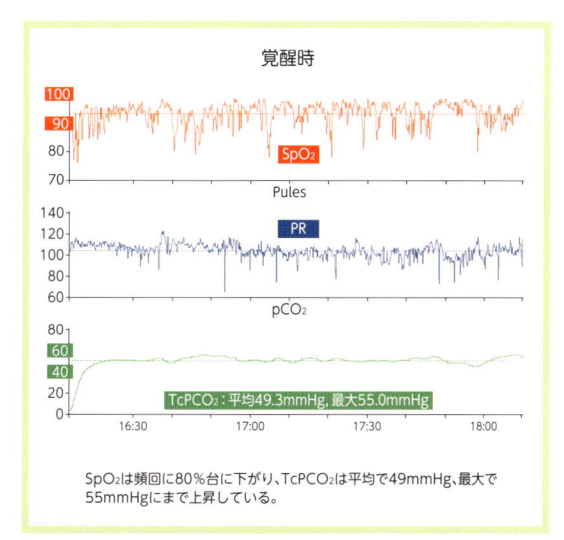

図9-19　CCHSにおける覚醒時（呼吸器なし）のモニタリング

第1章　スパイロメトリーとフローボリューム曲線

第2章　気道可逆性検査

第3章　喘息運動負荷検査

第4章　気道過敏性検査

第5章　呼吸抵抗検査（強制オシレーション法）

第6章　呼気中一酸化窒素濃度（FeNO）測定

第7章　肺シンチグラフィ

第8章　睡眠時無呼吸の検査：ポリソムノグラフィと簡易検査

第9章　先天性中枢性低換気症候群（CCHS）の検査

🌱 5. 患者指導のポイント

(1) 炭酸ガス換気応答試験(VRCO₂)

　児が行うことは安静状態で無意識に呼吸をすることだけですから、検査ができる状況をセッティングできるかが鍵になります。

　睡眠時に行う場合は、「目覚めさせない、起こさない」ことに最大の注意を払います。児の寝る位置や器械の配置のシミュレーション、音の出る操作は児が寝る前に済ませておくことなどがコツです。検査終了後の注意事項としては、$VRCO_2$が低値の場合は、検査が終了しても自分では血中二酸化炭素濃度を下げるような呼吸をしないため、呼吸を促すことや人工呼吸器を装着するなどが必要です。

　覚醒時に行う場合には、児の恐怖心を取り除き、逆に興味を持って意識してしまうことがないように声かけなどをします。検査中は、CCHSのように努力呼吸が出ない場合は、児は退屈してしまいますので、上手にできていることやあとどのくらいで終わるかなどの声かけをします。

(2) 換気モニタリング

　睡眠時の人工呼吸管理中のモニタリングでは、家族に在宅で呼吸管理をしているときに困っていることや疑問に思っていることなどの抽出をお願いし、それがモニタリング中に再現されたときには、体動などのイベントと同様に記録してもらいます。それを参考に結果を解釈することでより適切な呼吸管理を行うことができます。

　CCHSの覚醒時低換気の評価時には「いかにモニタリング以外のことに集中させるか」が重要です。好きなテレビ、遊びなどを用意すること、器械の使い方などは家族に説明して医療者が離れて検査すること、などがポイントになります。センサーの装着自体に痛みなどはありませんので、集中させることができれば、乳児期後半から覚醒時でも検査は十分に可能です。

喘息運動負荷検査記録用紙の例

氏名 _____　　　性別 ♂　♀　　　年齢 _____ 歳

日付 _____ . _____ . _____　　　_____ : _____　AM,　PM

長期管理薬 _____

体重 _____ kg　　　身長 _____ cm

気圧 _____ mmHg　　　気温 ____ ℃　　　湿度 ____ %

□ 自転車エルゴメーター　　0.0035 × BW= _____ KP, 60rpm.　6min

□ トレッドミル　　6km/h,　6min.　10%　　真の重症度 _____

分	秒	rpm	HR	FVC	FEV$_1$	FEV$_1$%	MMF	PEF	V$_{50}$	V$_{25}$	咳嗽	喘鳴
0	0	0										
	20											
	40											
1	0											
	20											
	40											
2	0											
	20											
	40											
3	0											
	20											
	40											
4	0											
	20											
	40											
5	0											
	20											
	40											
6	0											
11	0											
21	0											

	Pred. Value	Initial % Value	Max % Fall
FVC			
FEV$_1$			
MMF			
PEF			
V$_{50}$			
V$_{25}$			

eNO _____ ppb

気道過敏性検査（標準法）記録用紙の例

（使用薬剤 :　　　　　　　　　　　　　）

ID :

氏名 :　　　　　　　　性別 ♂　♀　　　年齢 :

身長 :　　cm　体重 :　　kg

日時 :　　.　　.　　.　　　　AM. PM　　　:

長期管理薬 :

中止期間（時間）:

前FEV$_1$		%FEV$_1$	
90%FEV$_1$		FeNO	
80%FEV$_1$			

濃度（μg/mL）		FEV$_1$	咳嗽	喘鳴	SpO$_2$	Borg scale 息苦しさ	
						本人	親
生食							
1	39						
2	78						
3	156						
4	313						
5	625						
6	1,250						
7	2,500						
8	5,000						
9	10,000						
10	20,000						

SABA吸入					

備考:　　RT :　　　　　　　　　　　　PC$_{20}$:
　　重症度 :　　　　　　　　　　治療ステップ :
　　真の重症度 :　　　　　　　　ACT, C-ACT :

気管支の敏感さ（気道過敏性）を測定しましょう

　ぜん息の小児は、"気管の弱い子"と思われています。この"気管の弱さ"とは、わずかな刺激によっても、咳やゼイゼイなどの症状がみられることをさすようですが、このようなぜん息患者に特有の、<u>刺激に対する気管、気管支の敏感さのこと</u>を**気道過敏性**と呼びます。

　これまでに、ぜん息が重症であるほど、気道（気管や気管支）が過敏である、すなわち、気道過敏性が亢進していることがわかっています。このため、気道過敏性を<u>吸入試験</u>により測定し、現在の患者さんの気管の状態を知ることは、ぜん息の治療計画をたてる上で役立つことと思われます。

　○○（施設名）では気道過敏性の検査を、<u>アストグラフ</u>という吸入試験専用の機器を用いた簡便な方法により行います。気管支を収縮させる作用のある体内物質の<u>メタコリン</u>という物質を、ごく少量から吸入させ過敏状態を計測します。肺活量測定時のような努力呼吸の必要もなく、開始後15分程で終了します。

　一般に小学生以上の小児を対象に測定します。測定により、

　　　(1) ぜん息なのか否か

　　　(2) ぜん息の重症度の判定

　　　(3) 治療効果または治療中止の時期、がわかります。

　　　＊＊＊ アレルギー外来にて受け付けますのでご相談願います ＊＊＊

○○病院　小児科

　　　氏名：

TEL：　　　　　　　FAX：

○○病院　病院長　殿

気道過敏性検査に関する同意書

　私は気管支喘息の吸入試験による気管の敏感さ（気道過敏性）の測定について、同意説明文書に基づいて担当医師より下記項目の説明を受け、その内容を十分理解し納得しました。その結果、私の自由意思により本試験を受けることに同意いたします。

【説明を受け理解した項目】（□の中にご自分で"✓"をつけてください）

　　□ 気管の弱さ（気道過敏性）について

　　□ 吸入試験の目的・方法

　　□ 吸入試験の報告とプライバシーの保護

　　□ 予想される効果（利益）及び副反応（不利益）

　　□ この臨床研究を担当する医師の氏名、連絡先

同意日；　　　　年　　　月　　　日

患者さま/研究参加者名（自筆署名）；＿＿＿＿＿＿＿＿＿＿＿＿＿（本人）

代諾者名；＿＿＿＿＿＿＿＿＿＿＿＿＿（本人との続柄）（　　　　　）

気道過敏性検査に関する説明および同意書

　気管支喘息の病態の特徴は気管支が敏感になっていて、いろいろな刺激に対して敏感に反応して狭くなる（発作が出る）ことです。

　この検査を行うことで気管支喘息の診断やどれくらい発作が起こりやすいかを予測することができます。

□ 1.　吸入誘発テスト

　気管支が狭くなる薬（メタコリンなど）を低い濃度から吸入して呼吸機能の測定することを繰り返します。

　呼吸機能が決められたところまで低下したら検査を終了して、どのくらい気管支が敏感かを判定します。

　検査によって呼吸機能は低下しますが、検査終了後に気管支拡張薬を吸入することで速やかに改善します。また、この検査がきっかけとなって、喘息が増悪することもありません。

　なお、検査前に通常使用しているお薬を中止することがあります。

　検査は45分程かかります。

□ 2.　喘息運動負荷試験

　適当な負荷をかけたエアロバイク（トレーニングで使用する自転車のような器具）やトレッドミル（ランニングマシンのような器具）で6分間運動をしていただきます。終了後15分まで繰り返し呼吸機能を検査します。

　喘息運動負荷試験中は心拍数をモニターし患者様の状態を観察しながら過剰な負担とならないよう十分に注意しながら施行します。

　診療行為に伴う合併症・後遺障害の診療は通常の保険診療で行います。

　いずれも同意の撤回はいつでも可能です。

○○○○○病院機構
○○○○○医療センター

　　　　　　　　　　　　　　　　　　小児科
　　　　　　　　　　　　　　　　　　担当医師：＿＿○○　○○＿＿＿㊞

· ·

同　意　書

○○○○○病院

　今回、上記医師より気道過敏性テストの目的・方法・安全性について説明を受けました。検査を受けることに同意いたします。

　20＿＿年＿＿＿月＿＿＿日

　　　　　　　　　　　　患者氏名　：＿＿＿＿＿＿＿＿＿＿＿＿＿＿＿＿＿

　　　　　　　　　　　　保護者氏名：＿＿＿＿＿＿＿＿＿＿＿＿＿＿＿＿＿

動画視聴用パスワード：kk_kokyu

小児呼吸機能検査ハンドブック 2020年改訂版

2019年12月12日　　第1版第1刷発行

■監　　修　　手塚純一郎／高瀬真人
■作　　成　　日本小児呼吸器学会
■編集・制作・販売　　株式会社協和企画
　　　　　　　　　〒170-8630 東京都豊島区東池袋3-1-3
　　　　　　　　　電話　03－5979－1400
■印　　刷　　株式会社エイチケイグラフィックス